日本ドイツ学会編集委員会

『ドイツ研究』第57号に関する誤植のお詫びと訂正のお知らせ

このたび刊行いたしました『ドイツ研究』第 57 号に誤植がございました。深くお詫び申し上げますとともに、下記の通り訂正させていただきます。

p. 1（目次）

【誤】井上 聡子 →【正】井上 暁子

p. 44（書評）

【誤】井上 聡子 →【正】井上 暁子

『ドイツ研究』第57号

目次

学会通信

シンポジウム

日本におけるドイツ研究の「意義」？

企画趣旨

辻　朋季

Die „Bedeutung“ der Deutschstudien in Japan?

Einführung

Tomoki Tsuji

1 はじめに

日本の学術研究・高等教育，とりわけドイツ関連の多くの分野も擁する人文系の学問を取り巻く環境が年々厳しさを増していることは，多くの学会員諸氏も，肌で感じていることと思う。その要因は多岐にわたり，詳細を論じるのは難しいため，ここでは特に以下の３点を指摘したい。

- 学術研究そのものを取り巻く世界的な状況の変化
- 日本の科学技術政策の変化，学術研究及び研究者に対する日本社会の意識の変化
- 日本社会におけるドイツに対する関心の低下と，ドイツ語学習者やドイツ関連研究を行う学生・大学院生の減少

インターネットの普及とSNSの発達に伴い，情報の真偽よりもインパクトが，また正確さよりも速報性が重視されるという，研究者に不都合な状況が世界規模で生じている。これにポピュリズムや反知性主義の流れも加わり，研究者や既存のメディアを含む，いわゆるエスタブリッシュメント層への反感や憎悪，不信が高まっている。議論の土台となるべき客観的データや専門的知見は，それを扱う専門家による丹念な調査・研究と分析により生まれるべきものだが，フェイクニュースの流布やデータの不正確な解釈，認知バイアス（特に，自説に有利な情報を優先して選択し反証情報を排除する確証バイアス）がもたらす情報の偏りにより，議論の前提となるべき客観的知見や情報が共有されにくくなっている(1)。こうしたネット社会の，いわば「悪貨は良貨を駆逐する」状況下で，専門家による地道な研究行為とその成果が正当な評価を受けにくくなっている。

加えて日本国内では今世紀に入り，新自由主義的な潮流のもと，公的セクターにも「経済効率性」や「ムダ（とされるもの）の排除」「イノベーション」の論理が持ち込まれた結果，特に人文科学における人員や予算の削減が進んでいる。また2004年の国立大学法人化以降の運営交付金の減額(2)，研究予算の「選択と集中」により，人文科学よりも自然科学へ，また基礎研究よりも応用・実用的研究もしくは産学官連携型の研究へと，リソースの偏重が進んだ(3)。学術政策の面でも，2014年5月に安倍晋三首相（当時）がOECD閣僚理事会で「学術研究を深めるのではなく［中略］もっと実践的な，職業教育を行う」(4)と述べて大学に職業訓練校の役割を求めたように，「社会のニーズ」

（1）このような，「客観的事実よりも感情や個人的信条へのアピールが優越する状況」は「ポスト真実（post-truth）」とも呼ばれ，津田大介と日比嘉高は，その主要な要素に「SNSの影響，事実の軽視，感情の優越，分断の感覚」の4点を挙げている。津田大介／日比嘉高『「ポスト真実」の時代――「信じたいウソ」が「事実」に勝る世界をどう生き抜くか』（祥伝社，2017年），特に26-42頁。

（2）国立大学法人化以降の運営交付金の推移や，各大学（90法人）の経常費用・収入の推移については以下を参照。傾向として，交付金の減少を附属病院の収益や外部資金により補っていることがわかる。https://www.mext.go.jp/content/20201104-mxt_hojinka-000010818_4.pdf （2022年9月28日閲覧）

（3）2016年にノーベル生理学医学賞を受賞した大隅良典（東京工業大学栄誉教授）は，基礎科学の研究に対する国の支援の先細りを懸念し，実用化を伴う応用研究への偏重に警鐘を鳴らした。「ノーベル賞受賞／大隅良典東工大栄誉教授「基礎研究がないと新しい進歩はない」」『日刊工業新聞』（2016年10月14日），https://www.nikkan.co.jp/articles/view/00402119/0 （2022年9月28日閲覧）。「基礎研究は先が分からないから面白い」と述べる同氏はまた，基礎研究を社会全体で支える仕組みの必要性を強調し，自ら財団を設立して独創的研究を支援している。

（4）2014（平成26）年5月7日の「OCED閣僚理事会での安倍内閣総理大臣基調演説」で安倍は，「日本では，みんな横並び，単線

に応じた大学改革への圧力が高まっている。同年6月には学校教育法・国立大学法人法の改正により，学長権限の強化，教授会の権限縮小，外部理事の増員などが図られ，大学運営に企業経営の手法を取り入れる流れも加速した(5)。さらに2015年6月，文部科学省は国立大学法人に通知を出し，人文系学部・大学院の廃止や，社会的要請の高い分野への転換を含む組織の見直しを求めた(6)。同省はまた同年9月，日本学術会議の幹事会でも，人文系学問の社会的要請の高い分野への転換を求めたため，同会議はこれに強い懸念を表明した(7)。その日本学術会議をめぐり，2020年10月に菅義偉首相（当時）が，同会議が推薦した105名の会員候補のうち6名の任命を拒否する事件が起きた(8)。学術研究の現場および研究者に政治権力が露骨に介入する事態に対し，日本ドイツ学会の理事・幹事の有志一同も抗議声明を発表したが，2022年9月現在も問題は解決していない(9)。

次に3点目の，日本のドイツ（語圏）研究をめぐる状況に目を向けると，前述した国内外の状況に加え，ドイツ語学習者やドイツ関連の分野を専攻する学生・大学院生の減少，それに伴う（特に語学の）教員ポストの減少，さらに日本社会におけるドイツへの注目度の低下，学術言語の英語への切り替えなど，この分野特有の問題も山積している。EUの主要国として一定の経済力を有し，難民受け入れにも積極的なドイツが，国際的に一定のプレゼンスを保持しているにもかかわらず，日本社会におけるドイツへの注目度は以前ほど高いとは言えない。法学や医学，軍事の分野で日本がドイツを模範とした明治時代や，ドイツのビルドゥング概念を重視した大正教養主義の時代ならばいざ知らず，21世紀前半のこんにち，「何を今さらドイツ研究など」といった声が聞こえて来そうな状況である。

2 「ドイツを見習おう」言説の限界と，研究を意義付けることの危うさ

こうした，日本のドイツ研究をめぐる危機的な状況に対し，私たちはどう向き合えばよいのだろうか。戦後の若年人口の急増と大学進学率の上昇という特異な条件のもと，大学が大量のドイツ語学習者を確保できた以前とは違い，

型の教育ばかりを行ってきました。小学校6年，中学校3年，高校3年の後，理系学生の半分以上が，工学部の研究室に入る。これぱかりを繰り返してきたのです。しかし，そうしたモノカルチャー型の高等教育では，斬新な発想は生まれません。だからこそ，私は，教育改革を進めています。学術研究を深めるのではなく，もっと社会のニーズを見据えた，もっと実践的な，職業教育を行う。そうした新たな枠組みを，高等教育に取り込みたい」と述べた。https://warp.ndl.go.jp/collections/info:ndljp/pid/11575230/www.kantei.go.jp/jp/96_abe/statement/2014/0506kichokoen.html （国立国会図書館が保存した2020年11月4日時点のWEBページ。2022年9月28日閲覧）

（5）2015年6月8日の「国立大学法人等の組織及び業務全般の見直しについて（通知）」には，「特に教員養成系学部・大学院，人文社会科学系学部・大学院については，18歳人口の減少や人材需要，教育研究水準の確保，国立大学としての役割等を踏まえた組織見直し計画を策定し，組織の廃止や社会的要請の高い分野への転換に積極的に取り組むよう努めることとする。」とある。https://www.mext.go.jp/b_menu/shingi/chousa/koutou/062/gijiroku/__icsFiles/afieldfile/2015/06/16/1358924_3_1.pdf （2022年9月28日閲覧，引用は別紙1の3頁目）

（6）但し吉見俊哉によれば，実際には同様の記述が，2014年に文部科学省が示した「ミッションの再定義」にも見られ，2013年の「国立大学改革プラン」にも，社会的要請に沿った学部・学科の再編要請は盛り込まれていた。にもかかわらずメディアが2015年夏に突如「文系学部廃止」を報じ始めた背景には，安保関連法制の整備を進めていた当時の安倍政権への批判的世論の高まりがあったと吉見は推測している。吉見はまた，この通知が予想外の反響を呼び，「文系は儲からないが役に立つ」といった反対論が（産業界からも）生まれた背景に，日本社会が「理系＝儲かる，文系＝儲からない」という図式を「常識」として構造化してきた点を指摘し，これを問題視している。吉見俊哉『文系学部廃止の衝撃』（集英社，2016年），特に12-28頁。

（7）日本学術振興会幹事会声明「これからの大学のあり方――特に教員養成・人文社会科学系のあり方――に関する議論に寄せて」（2015年7月23日）は以下の通り：「大学は社会の中にあって，社会によって支えられるものであり，広い意味での「社会的要請」に応えることが求められている。このことを大学は強く認識すべきである。しかし，「社会的要請」とは何であり，それにいかに応えるべきかについては，人文・社会科学と自然科学とを問わず，一義的な答えを性急に求めることは適切ではない。具体的な目標を設けて成果を測定することになじみやすい要請もあれば，目には見えにくくても，長期的な視野に立って知を継承し，多様性を支え，創造性の基盤を養うという役割を果たすこともまた，大学に求められている社会的要請である。前者のような要請に応えることにのみ偏し，後者を見落とすならば，大学は社会の知的な豊かさを支え，経済・社会・文化的活動を含め，より広く社会を担う豊富な人材を送り出すという基本的な役割を失うことになりかねない。」 https://www.scj.go.jp/ja/info/kohyo/pdf/kohyo-23-kanji-1.pdf （2022年9月28日閲覧）

（8）日本学術会議の会員選定をめぐっては，従来の公選制から現在の推薦制に変更する内容を含む日本学術会議法の改正を審議した1983年5月12日の参議院文教委員会で既に，同会議の独立性が侵されたり推薦者の任命が拒否されたりする事態が起きることへの懸念が示されていた（社会党・粕谷照美議員〔当時：以下，肩書きは全て当時〕）。これに対し手塚康夫・内閣官房総務審議官は「実質的に総理大臣の任命で会員の任命を左右するということは考えておりません」と答弁し，高岡完治内閣官房参事官も，首相による委員の任命は形式的であると説明，中曽根康弘首相も「独立性を重んじていくという政府の態度はいささかも変わるものではございません」と述べていた。2020年に起きた菅首相の任命拒否により，この国会答弁が反故にされ，当時危惧された通りの事態が起きたことになる（「第98回国会　参議院文教委員会　第8号，昭和58［1983］年5月12日」）。https://kokkai.ndl.go.jp/simple/detail?minId=109815077X00819830512&spkNum=0#s0 （2022年9月28日閲覧）

（9）日本ドイツ学会理事・幹事有志による声明は以下を参照。http://www.jgd.sakura.ne.jp/Seimeibun_202010.pdf （2022年9月28日閲覧）

今後はドイツ語履修者やドイツ関連分野を専攻する学生・研究者の劇的な増加は見込めない。当然ながら，既にベネディクト・アンダーソン以降の近代国民国家批判により効力を失ったはずの，ドイツの民族性や精神性（とされるもの）を復権させその優秀性を唱えるような文化保守主義な態度も，また時代錯誤的に日独友好言説を美化して「かつての盟友ドイツ」などと日本との関係を強調することも，事態の打開策には到底なり得ない。だが他方で，例えば過去との向き合い方や戦後補償に関し「日本はドイツから学ぶべきだ」と叫んでも，「煙独」とも言われる日本の言論空間(10)には響かないどころか，「強制収容所でユダヤ人を大量虐殺したナチスドイツと日本の戦争犯罪は違う」といった，ナチスの犯罪の比較不可能性を逆手に取った日本版歴史修正主義(11)に論拠を与えてしまう。またドイツ礼賛の態度は，近年の安全保障や憲法改正の文脈では，「ドイツは軍備拡張に積極的である」とか「ドイツは何度も憲法を改正している」といった別の「ドイツを見習おう言説」を強化しかねず(12)，ドイツを無批判に参照項とすることにも限界がある。

振り返ると，そもそも日本は多分にその時々の「社会的要請」に応じてドイツから（も）学んできた。ドイツまたはゼルマン（日耳曼＝ゲルマン）は，既に幕末から特に医学や軍事の分野で注目され，その後も明治政府が，岩倉使節団のベルリン訪問を機に，近代化のモデルとしてドイツを参照した(13)。1880年代以降に設立された私立法律学校の多くが，イギリス法学やフランス法学を教えたのに対し，ドイツ法やドイツ国法学を担った機関が帝国大学であり，これが事実上の「ドイツ法学校」として，国家の枢要を担う官僚を養成してきた(14)。やや単純化して述べれば，明治日本におけるドイツ学とは国家学であり，またドイツの諸制度を日本に移植するために翻訳を必要としたからこそ，ドイツ語は知的エリートが学ぶべき外国語としての地歩を築いた。つまり戦前のドイツ研究は，まさに時代と権力の要請に応えて発達した，国家のための学問という側面を持っていた。さらに日独が軍事的に接近した1930年代後半以降は，「時局」という名の社会的要請に呼応して，日独双方において互いの優秀性や類似点を探る研究も行われた(15)。だがこうした体制協力に関し，日本の独文学も

(10)『毎日新聞』は「煙独」について，「嫌独」とまではいかないが，ちょっと煙たがるムードを意味すると述べ，過去との取り組みにおいてドイツを比較対象とし，模範的な事例として扱うことに対するネットや一部メディアの反発を紹介している。「特集ワイド――「煙独」ムードじわり 「過去と向き合う」優等生 片や戦後70年安倍談話で論争」『毎日新聞』（2015年4月14日東京夕刊），2頁。

(11) その代表的かつ草分け的な論客とも言える西尾幹二は，『異なる悲劇――日本とドイツ』において，ユダヤ人の抹殺を企図したナチスドイツの犯罪行為の唯一無二性をもとに，戦争の過程で半ば不可避的に生じた（とされる）日本の戦争犯罪との「根本的な違い」を強調している。但しこんにちの右派論客の主張とは異なり，（執筆当時の）西尾は，先の大戦の背後に日本の帝国主義的野望や中国「進出」の野心があったことは認めている。西尾幹二『異なる悲劇――日本とドイツ』（文藝春秋，1997年），特に83-119頁。なおドイツの歴史家論争では，ナチスドイツの犯罪をスターリンやポルポトによる虐殺と比較したベルリン自由大学の歴史学者エルンスト・ノルテ（Ernst Nolte）に対し，フランクフルト大学の社会学者ユルゲン・ハーバーマス（Jürgen Habermas）がナチス犯罪の比較不可能性を主張して反論，ノルテの説を歴史修正主義（Revisionismus）と非難した。左派論客とされるハーバーマスのこの主張が，日本の文脈では，自国の戦争犯罪を矮小化するための論拠として，右派論客に連なる西尾に援用された形となっている。歴史家論争については下記を参照。J・ハーバーマスほか（徳永恂ほか）『過ぎ去ろうとしない過去――ナチズムとドイツ歴史家論争』（人文書院，1995年）。

(12) 例えば，門田隆将（門脇護）の2022年2月28日の以下のツイートを参照：「米の核をシェアリングしているショルツ独首相が軍の増強に年1000億ユーロ（約13兆円），毎年GDPの2％以上を国防費とする事を表明。ロシアの脅威を前に国防大転換へ。一方，岸田首相は「非核三原則は国是と認識」と宣言。命と平和を守る為の抑止力を真正面から議論できない日本。」 https://twitter.com/kadotaryusho/status/1498149490762518535 （2022年9月28日閲覧）。また憲法改正については，「美しい日本の憲法をつくる国民の会」が2022年6月9日に以下のツイートをしている：「世界では時代に合わせて憲法改正は普通に行われています。〈戦後の改正回数〉アメリカ6回，インド99回，イタリア20回，フランス24回，ドイツ59回。日本0回。日本は戦後，一度も憲法が改正されていない国です。」 https://twitter.com/kenpou1000/status/1534860594817269762 （2022年9月28日閲覧）。但し実際にはツイートされた2022年6月の時点でドイツ基本法の改正は63回行われている。またドイツ基本法は，第79条第3項でいわゆる「永久条項」を定めており，第1条の「人間の尊厳，基本権による国家権力の拘束」と第20条の「国家秩序の基礎，抵抗権」の変更はできない。

(13) この点は以下も参照。辻朋季「日独修好160周年――日本の近代化にドイツが果たした役割」『ニッポンドットコム』（2021年12月14日）。https://www.nippon.com/ja/japan-topics/g02012/#:~:text=2021 （2022年9月28日閲覧）

(14) ミッション系スクールを除くと，明治期に発達した私立学校の多くが，イギリス法やフランス法を教える学校だったことは，明治国家がドイツ法を範としたことの裏返しと言える。イギリス法学系では専修大学，早稲田大学，中央大学など，フランス法学系のでは法政大学，明治大学，関西大学，立命館大学など（前身を含めた設立年順）が挙げられ，その多くが民権派の立場から英仏法を参照し，ドイツ型（トップダウン型）の明治政府に対抗した。ドイツ法学系の私学の例外として獨協大学の前身である獨逸学協会学校があるが，これは上記の英仏系の私学に対抗して，長州閥の品川弥二郎が1883年に政府の支援のもとに設立した官立色の強い学校で，ここにも当時のドイツ法学と政府の結びつきが窺える。

(15) 当時のドイツの日本学者による日独の比較研究については下記の論文集が有名である。Walter Donat (Hrsg.), *Das Reich und Japan: gesammelte Beiträge*, Veröffentlichungen des Deutschen Auslandswissenschaftlichen Instituts, Bd. 8, Berlin: Junker und Dünnhaupt, 1943.

ドイツの日本学も未だ十分な批判的検証を行っているとは言い難い(16)。

こうした歴史的経緯から教訓的に導き出されるのは，研究に対し必要以上に「意義」を求めることの危うさである。本シンポジウムにおいて，タイトルの「意義」の語を括弧書きとし，「？」を付したのは，ドイツ研究に何らかの意義がアプリオリに存在する，といった硬直化した議論を避けるためであり，また「意義」という語の持つ多様な次元に注意を促すためでもある。よって本シンポジウムでは，例えば政策提言的にドイツ研究の有用性や役割を一義的に強調したり，短期的な経済・外交・防衛上の利害などの「社会的要請」に応じてドイツ研究を意義付け直したりするのではなく，むしろ研究の意義には様々な次元があるとの視点から，ドイツ研究の今後について自由に議論したいと考えた。またその際には，日独双方の視点を取り入れるべく，ドイツの日本学のあり方についても適宜参照したいと考えた。

3 日独間の研究交流の活発化に向けて

『ドイツ研究』第55号への特別寄稿において，相澤啓一は，今こそ日本が参照すべき，ドイツの学術界が尊重するキー概念に「学問の自由」や「批判」を挙げ，こうしたテーマでの日独間の知的交流の重要性を指摘している(17)。同時に，人文学の分野で日本のドイツ研究者がドイツの研究者と没交渉であった点も批判し，研究者が率先して日独両国の社会の間に立ち，知的な対話を紡いでいくことの必要性を訴えている(18)。そこで今回の企画に当たっては，この問題提起に基づき，日独の様々な立場の研究者を招いて両国をつなぐ知的対話の機会を提供したい，と考えて登壇者の人選を行い，ティル・クナウト（Till Knaudt）氏，小林亜未氏，高田里惠子氏に講演を依頼し，快諾いただいた。クナウト氏には，ドイツ人として日本の大学で日本社会を研究する立場から，ドイツの日本学の歴史・現状・展望，またドイツから見た日本の人文学について語っていただき，ドイツの大学の日本学科に所属する小林氏には，ドイツで日本を研究すること・教えることの意義について語っていただいた。そして高田氏には，戦後の文部行政にも深く関与したドイツ思想研究者の安倍能成（1883-1966）に焦点を当て，学問と政治，また研究の意義と研究者としての生き方について言説分析していただいた。各発表に対するコメントは，ケルン日本文化会館館長として日独文化交流の現場で活躍する相澤啓一氏にお願いした。本シンポジウムがドイツ研究の将来を考える機会となるとともに，ここでの議論自体が両国間の知的対話の活発化に少しでも貢献できたならば幸いである。

なお，第38回ドイツ学会シンポジウムは，2021年に新設された企画委員会が手掛けた初の催しである。ドイツ関連の研究環境の悪化は，新規教員ポストの減少，若手研究者や大学院生の減少，一部専任教員への学内外の業務の集中など，様々な影響を及ぼしている。本学会の運営もまた，一部会員の献身的な努力で支えられている部分が大きいが，特にシンポジウムについては，企画提案者に過重な負担が生じることが問題視されてきた。今般の企画委員会の設立は，シンポジウムを持続的に運営するための改革の一歩とも言える。規約第2条で「地域研究という観点からのドイツ語圏に関する学際的な学術研究」を謳う本学会が今後も無理なく運営され，活発な研究交流の場が提供されることを期待したい。

シンポジウム開催に当たっては，企画委員長の青木聡子氏を中心に，委員の森田直子氏，宮崎麻子氏と事務局の小野寺拓也氏が，テーマ設定や登壇者の選定，講演依頼や当日の司会進行などを分担した。また大会は2年連続でオンラインでの開催となったが，技術的なトラブルもなく，非学会員を含む多数の参加者と活発な議論を行うことができた。開催に当たり協力いただいた講演者，参加者，関係者各位に心からお礼申し上げる。

※なお，発表者の一人であるクナウト氏の原稿は，本人の申し出により掲載していない。

(16) 本シンポジウムで講演いただいた高田里惠子は，戦前・戦中の日本の独文学が，旧制高校というホモソーシャルな環境で育った教養主義エリートによって担われてきたとして，その男性優位性と閉鎖性を問題視するとともに，戦時中の独文学者の体制迎合的な言説も批判的に取り上げた数少ない研究者の一人である。特に，高田里惠子『文学部をめぐる病――教養主義・ナチス・旧制高校』（筑摩書房，2006年）を参照。また国民社会主義時代のドイツの日本学についての批判的論考として，ハンブルク大学日本学科のヘルベルト・ヴォルムの研究を挙げることができる。Herbert Worm, „Japanologie im Nationalsozialismus. Ein Zwischenbericht“, Gerhard Krebs / Bernd Martin (Hrsg.), *Formierung und Fall der Achse Berlin - Tôkyô*, München: Iudicium, 1994, S. 153-186.

(17) 相澤啓一「ドイツ研究の意義と課題――国立大学改革と「学問の自由」をめぐる議論から」『ドイツ研究』第55号（2021年），77-82頁。

(18) 相澤「ドイツ研究の意義と課題」，81-82頁。

シンポジウム

ドイツにおける日本研究の「意義」？
デュッセルドルフ大学現代日本研究所を例として

小林亜未

Die „Bedeutsamkeit" der Japanstudien in Deutschland
- Am Bespiel vom Institut für modernes Japan an der Universität Düsseldorf

Ami Kobayashi

1 はじめに

「日本学を勉強して将来何するの？」という質問は，私の所属する現代日本研究所の学生，教員ともに，定期的に耳にするのではないかと思う。私自身はずっと教育学科に籍を置いていたため，日本／ドイツ研究者というよりは，日独を主な研究対象とする教育学者という認識の方が強い。そのためか，上記の問いに対しては今日まであまり自信を持って回答できていない。本稿では，2022年度日本ドイツ学会のシンポジウムでの報告・意見交換をもとに，ドイツにおける日本研究の「意義」，そして，日本におけるドイツ研究の「意義」について考えてみたい。「意義」と鍵括弧付きにしているのは，シンポジウム内でも議論になったように，研究に何等かの直接的，社会的，政治的意義を求めること自体も，批判的に検討する余地のある事だと考えているからである。以下に論じるのは，学士課程から博士課程まで教育学部に籍を置き，縁あってドイツの大学の日本学研究所で教えることになった筆者が，ドイツ研究・日本研究の「意義」として表現しうる事柄について考察するものである。

はじめに，私が専任講師として2018年から勤務しているハインリヒ・ハイネ大学デュッセルドルフ（以下デュッセルドルフ大学）の現代日本研究所について簡単に紹介し，次に日本学を学んだ後の進路について，また日本学を学ぶ学生の変化に伴う，日本学を学ぶ理由の変化について簡単に言及する。最後に，「身近な問題をより多角的に理解する」ための日本学の一例として，私の2020年の授業実践例を紹介したい。

2 デュッセルドルフ大学　現代日本研究所

デュッセルドルフ大学の現代日本研究所は，学部生・院生含めて約600名の学生を抱える，ドイツ国内で最も規模の大きい日本研究所の一つである。主な研究分野は19世紀後半から現在までの日本で，女性史，ジェンダー／クィア研究，メディア研究（アニメ・マンガ等），経済学，社会学（雇用形態，高齢化）などの分野に重点が置かれている。学部生は日本語の授業に加え，日本史，日本社会，日本文化に関する入門講座，さらに文化学系ゼミと社会学系ゼミを受講することになっている。その他にも，日本企業でインターンをしたり，日本へ留学する学生も少なくない。ちなみに，現代日本研究所の講座は，トランスカルチャー学，経済学，メディア学，情報科学専攻の学生にも開放されている。

さて，このような講座を受講して学士を取得した卒業生たちは，その後どのような進路に進むのだろうか。現代日本研究所のホームページには，以下のような記載がある。

> 卒業後の進路：大学での勉強を通して身につけた異文化対応能力は，特に国際機関や国際企業で近年重要視されているものです。そのため，現代日本研究所の学部卒業生の進路は明るいものと思われます。副専攻との組み合わせにより，就職の可能性が広がります(1)。

学士課程で習得できる日本に関する知識そのものというよりは，日本について学ぶ過程で身につけた「異文化対応能

(1) ハインリヒ・ハイネ大学デュッセルドルフ 現代日本研究所　https://www.modernes-japan.hhu.de/studium/infos-fuer-studieninteressierte （2022年9月20日閲覧）

力（interkulturelle Kompetenzen）」と副専攻で身につけた専門知識の組み合わせに重点を置いているのは，注目すべきであろう。日本に関する知識「だけ」では，就職には不十分と言っているようにも聞こえる。今年8月にデュッセルドルフで開催された「第18回ドイツ語圏日本学会（18. Deutschsprachiger Japanologentag）」でも，卒業後の進路に関するパネルが設けられ，日本学を勉強した後，企業に就職した人，フリーランスの通訳になった人など，複数の卒業生がゲストとして呼ばれていた。ここでもやはり，日本に関する知識だけではなく，インターンや，経済学，通訳学など他分野でさらに学ぶ事の重要性が指摘されていた。ポスドクの同僚の就職先でも，日本研究そのものよりも日本を「事例」として扱った研究（高齢化社会・孤独死・安楽死等）の方が評価されているように思われる。これは，シンポジウムでのTill Knaudt氏の報告にもあったように，日本の事例が「有益な非西洋的経験」として評価されている，新しい傾向の一例と言えるのかもしれない。

3 「他者」または「モデル」としての地域研究

シンポジウムでも話題に上がったように，日本におけるドイツ研究は長らく「モデル」としてドイツから学ぶ事，しかも，国に寄与することを目的とした地域研究であった。一方，ドイツにおけるこういった事例は限られているように思う。体操家のRudolf Gaschは1910年に発行された著書『体操の歴史（Geschichte der Turnkunst）』の中で，日本はドイツ式体操の一部を輸入し，一方でドイツは日本から柔術を輸入したと述べている(2)。しかし，このようにドイツが日本から何かを輸入した事例は，それほど多くないだろう。ドイツにおける「東洋学（Orientalistik）」は，アジア・アフリカ・オセアニア地域の言語や文化を研究対象とする学問だが，19世紀の植民地思想，ヨーロッパ中心主義的な思想を強く反映しており，「オリエンタリズム（Orientalismus）」とも深い関わりがある。オリエンタリズムは従来，美術における東洋趣味などを指す語だったが，Edward Saidはその著作『オリエンタリズム』（1978）の中で，「オリエンタリズム」を西洋の東洋に対する思考様式として再定義し，そこに含まれるヨーロッパ中心主義的見方を批判的に論じた。西洋における東洋学は，東洋地域を客観的に分析するものではなく，植民地主義思想を背景に構築された「東洋」という概念をめぐる言説だと言う。この場合の「東洋」は，文明化された「西洋」の対極に位置する神秘的で危険で後進的な地域として捉えられ，植民地政策の正当化にも寄与したと言う。日本は植民地化されたわけではないが，19世紀の日本研究もこのような見方と無縁だったわけではない。たとえば，哲学者の井上哲次郎（1856－1944年）は19世紀末に6年ほどドイツに滞在し，1887年からベルリンの「東洋言語ゼミナール」で教えていた。これは，ドイツで最も早く開講された日本学の講座とされるが，商業関係者に日本語と日本の宗教，歴史，地理を簡単に伝える程度のもので，文学等に重点を置いたそれ以降の日本研究とは多少異なる(3)。このような「他者」を構築する従来の地域研究は，「日本人は○×だから，△▲すべき。」という偏見・固定概念を強化しかねない上，「他者」から学ぶという姿勢もあまり育まない。日本に関しても長らくこの傾向が続いていたように思われる。ドイツ人教育学者で日本滞在経験もあるVolker Schubertも，個人主義VS集団志向，伝統とモダンというような二項対立的な見方を「思考を妨げうる対比（als Denkblockaden wirkende Gegenüberstellungen）」として批判している。特に教育に関しては，いわゆる西洋の個人主義を理由に，日本の集団的な教育を異質なもの，すなわちドイツ社会への適用不可能なものとして捉える傾向があると言う(4)。この日本イコール「例外」という見方は，今日でも根強いと私自身も感じている。ドイツの教育系の学会で日本の事を発表すれば，ドイツと日本の比較研究という形を取らない限り，やはり異国の事例として受け取られることが多い。但し，この傾向の原因は，西洋からの視点だけではなく，70年代に日本で広まったいわゆる「日本人論」によるところも少なくないと思われる。日本人や日本文化の特殊性を強調する日本人論，つまり「日本人は西洋人と違う」という日本人自身の主張もあいまって，Schubertが指摘するような現象が各分野で起きていたと考えるべきであろう(5)。

4 「身近な問題をより多角的に理解する」地域研究

さて，前述のような「他者」を構築する地域研究は，Saidの著作をはじめ，ポストコロニアル研究から批判を受け，再考されるようになってきた。また，比較研究や受容史の研究が示してきたように，国外から何等かのモデルを輸入したとして，それがそのまま1：1の形で新しい土

(2) Rudolf Gasch, Geschichte der Turnkunst, Leipzig: Göschen'sche Verlagshandlung, 1910, S.101-103.
(3) Johann Nawrocki, Inoue Tetsujiro (1855-1944) und die Ideologie des Götterlandes. Eine vergleichende Studie zur politischen Theologie des modernen Japan, Hamburg: LIT Verlag, 1997, S. 95-99.
(4) Volker Schubert, Pädagogik als vergleichende Kulturwissenschaft. Erziehung und Bildung in Japan, Wiesbaden: VS Verlag für Sozialwissenschaften, 2005, S. 8.
(5) Shirley Ando, "A Look at Nihonjinron: Theories of Japaneseness", Otemae Journal, No. 10, 2010, p. 33-42.

地に根付くことはありえない。モデルの受容プロセスは複雑であり，すでに存在する社会的，文化的コンテクストと重層的にかかわり，結果，モデルの実践はかなりその国独自のものとなっていることが多い(6)。そのため，これからの地域研究はより多角的なアプローチが重要になってくるだろう。

さらに，研究視点の変化だけではなく，近年の日本研究者，日本学専攻の学生の変化も考慮するべきであろう。1960年代以降の大学の大衆化に伴い，ドイツの研究者・学生も多様化してきた。もちろん，基本的にはドイツ人男性が今でも大学教員のマジョリティだが，それでも以前より多様化していると実感している。私のような日本で学位をとった非ドイツ人にも，教員として働く可能性は開かれているし，それは日本学に限ったことでもないようである。日本学研究所の学生に関して言えば，白人男性ドイツ人は必ずしもマジョリティではない。個人的な経験に基づいて言えば女性の方が多く，性的少数者・移民的背景（ベトナム・トルコ・ロシア等）を持つ学生，ダブル（日本・中国・台湾等）の学生も多い。このことにより，研究視点やゼミにおけるディスカッションの方向性も変化したのではないかと思われる。つまり，一部の学生にとって日本研究がいまだに「他者」研究である一方，他の学生にとっては，自分のルーツを知るための「自己」研究なのである。前述したドイツ語圏日本学会に登場した卒業生の中にも，母親が日本人という人が複数おり，やはり日本学を専攻した理由の一つとして，自分のルーツ，母親の出身国について学びたいという動機があったことを明らかにしていた。

こういった背景から，デュッセルドルフ大学の講座でも，ポストコロニアル学，トランスカルチャー学，ジェンダー学などの視点を取り入れ，従来の入門講座の見直しも少しずつ進めている。では，「他者」の支配を目的とした研究や「モデル」としての地域研究がその「意義」を失いつつある時，ドイツにおける日本研究はどのような「意義」を持ちうるのだろうか。一つ私が心に留めているのは，「身近な問題をより多角的に理解する」地域研究のあり方である。例えば，日本のいじめをテーマにレポートを書く学生に対しては，日本に関する文献だけを読み，「日本では○○である。」という結論を導くのではなく，他の国ではいじめはないのか，ユネスコ等の国際機関はその問題に対してどういう立場なのかも視野に入れるように指導している。つまり，日本を「例外」として扱うのではなく，日本の事例を通して，自国の社会問題や，グローバルな課題を考えるというやり方である。これまでの比較研究が示しているように，対照的な事例と照らし合わせることによって，より研究対象への理解を深めることができる。但しここで留意したいのは，単にいじめの件数が多い・少ないというような表面的な比較にとどまらず，その社会的・文化的背景（例えば，社会における学校の役割や，学校文化など）まで含めて比較を試みることである(7)。

5 デュッセルドルフ大学での実践例

最後に，上記のような考えに基づいて行ったデュッセルドルフ大学での実践例を紹介したい。講座名は「日本の集団教育（Kollektiverziehung in Japan）」で，このゼミナールの目的の一つは，「日本人は伝統的に集団的」という見方を再考することであった。個人主義的な西洋と，集団主義的な東洋という対立は，一般的に広く流布していると思われるが，果たして本当にそうなのであろうか。その点を考察する手がかりとして，Anton S. Makarenko（1888−1939年）の集団教育論，それに基づいた東ドイツの集団教育（Kollektiverziehung），そして日本の集団（主義）教育を紹介し，学生には自身の学校体験と比較してもらった。主な資料として用いたのは，Makarenkoの著作，東ドイツの教員用ハンドブック(8)と日本の全国生活指導研究協議会発行の雑誌『生活指導』であった。ソ連の代表的な教育者として知られるMakarenkoは，ロシア革命後の浮浪児教育を基点に，集団に重きをおいた実践的教育論を主張した。彼の著作は様々な言語に翻訳され，東ドイツのような社会主義国家の教育理念の基礎となった他，日本を含め様々な国の教育者に刺激を与えた(9)。そのMakarenkoは，規律と自由について，著作の中で以下のように述べている。

> 規律はしばしば自由と対立される。これは(まちがっている)。自由は気ままではない。気ままというのはあらゆる言動の孤独化された可能性である。(…)もしも私が自由をもっていれば，わたしの隣人もそれをもっている。いいかえれば，それはわたしの孤

(6) Johannes Bellmann, “The Reception of John Dewey in the Context of Contemporary Educational Reform. A German-American Comparison”, Studies in Educational Policy and Educational Philosophy, No.1, 2006, p. 1-15.

(7) Jürgen Schriewer, „Vergleichende Erziehungswissenschaft als Forschungsfeld“, Merle Hummrich / Sandra Rademacher (Hrsg.), Kulturvergleich in der qualitativen Forschung, Studien zur Schul- und Bildungsforschung, Heft 37, Springer VS: Wiesbaden, 2013, S. 15-41.

(8) Akademie der Pädagogischen Wissenschaften der DDR, Sozialistische Erziehung älterer Schüler. Handbuch für Klassenleiter, Lehrer und Erzieher, Berlin: Volks und Wissen, 1974.

(9) Makarenkoをロシアの教育者と表現する文献もあるが，Makarenkoが生まれたのは現在のウクライナのスミ（Sumy）であり，通った高等師範学校も現在のウクライナのポルタヴァ（Poltava）にあった。

独の結果ではなく社会的契約の結果である(10)。

Makarenkoは「規律(Disziplin)」が守られることによって，信頼性，安心感が生まれ，より大きな課題をやり遂げられると言い，規律の生産性を強調する。孤立した人間が何でもできる事(Ungebundenheit)は自由ではなく，社会的な決め事の上に成り立つのが自由であるとし，規律は自由と対立するわけではなく，規律は個人の自由を可能にする前提条件だという(11)。東ドイツの教員用ハンドブックにも，社会主義的人格の形成のために必要な事として，このような規律が挙げられている(12)。

規律は自由を抑制するものではなく，自由の前提条件であるという表現自体は，日本で育った者にとっては，それ程違和感がないのではないかと思う。「校則さえ守れない奴が，個人の自由などと言う権利はない」と，教師に叱られた経験があるのは，私だけではないと思う。一方，このような規律と自由の理解は，現在のドイツの学生，また旧西ドイツ出身の人間にとっては，馴染みのないもののようである。(西)ドイツの教育思想は，子どもの自由は最大限保障すべきだとする。自由が制限されるためにはそれ相応の理由が必要であり，またその場合も必要最低限にするべきであるという見方である。この考え方の根底にあるものとして言及されるのは，「カントの教育学講義(Kants Vorlesung über Pädagogik)」である。例えば，ハンブルク大学の教育学教授Hans-Christoph Kollarは，教育学の入門書とも言える『教育学の基礎概念，理論，方法(Grundbegriffe, Theorien und Methoden der Erziehungswissenschaft)』(13)の第一章で，カントの教育学講義を紹介している。

> 教育の最も重要な問題の一つは，法的拘束の下での服従と，自分を自分の自由のために奉仕させる能力とがどのようにして統合され得るか，という問題です。なぜなら拘束は何としても必要なものです。拘束の下にあって，私はどのようにして自由を開発することができるでしょうか。私は私の生徒を，その自由に対する拘束に耐えるように慣らすべきであり，しかも同時に，その自由を立派に行使するように指導すべきでありましょう。(・・・)ここで，次のことが注目されねばなりません。(一)児童をその最初の幼少期から，あらゆる点において(たとえばむき出しのナイフに手をのばして握ろうとするような，子ども自身が傷つくおそれのある場合は別にして)自由にさせておくことが，まず第一です。もちろん，子どもが泣き喚いたり，あまりにも喧しくはしゃぎ廻ったりすることは他人の自由を侵すことですから，こういうことが起こらないようにはしなければなりませんが。(二)次に，児童には，自分が他人の目的をも達成させてやることによってのみ，自分もまたその目的を達成することができるのだということ，たとえば他人が自分に学習しなければならないと言った場合にそれを実行しなければ，他人もまた自分に何の喜びも与えてくれないのだということが，示されねばなりません。(三)児童にはまた，自分に拘束が加えられるのは，やがて自分固有の自由の行使がうまく行えるようにという配慮によるものであること，自分が教化されるのは，それによってやがて将来自由でいられるように，すなわち他人の配慮に頼らなくてもすむように，という考え方によるものであることが，示されねばなりません(14)。

上記のように，カントは教育学講義の中で，子ども自身に害が及ぶ場合，他の人の自由を侵害する場合，子どもの将来の自由が奪われる場合は，子どもの自由を制約する必要があるとしている。カントの記述には様々な解釈の余地があると思うが，Kollarはその著作の中で，カントの功績は自由と強制という二つの対立する教育的理念の関係を論じた事にあるとし，「カントによれば，前述の理由，制約を除き，子どもの自由は十分に認められるべきである(Abgesehen von den gennanten Gründen und jenseits der gezogenen Grenzen ist den Zöglingen Kant zufolge völlige Freiheit einzuräumen)」とまとめている(15)。

日本の大学でこの部分を紹介した際は，肯定的な意見の他に，批判的意見，戸惑い，苛立ちなど，興味深い反応があった。一方ドイツの学生は，カントのこの主張を特に違

(10) マカレンコ全集刊行委員会『マカレンコ全集8』(明治図書，1980年)261頁。〔Anton S. Makarenko, „Der Begriff der Disziplin im Gesamtsystem der Erziehung (1922)", Pädagogische Werke Erster Band, Berlin: Volks und Wissen, 1988, S. 22-23.〕

(11) Volker Schubert, Der Pädagoge als Ingenieur. Erziehungswissenschaft bei Bernfeld, Makarenko und Dewey, Weinheim; Basel: Beltz Juventa, 2019, S. 121.

(12) Akademie der Pädagogischen Wissenschaften der DDR, „2. Erziehung zur sozialistischen Disziplin"; „Disziplin und äußere Ordnung in Unterricht", Sozialistische Erziehung älterer Schüler, S. 110-111, 273-284.

(13) Hans-Christoph Koller, Grundbegriffe, Theorien und Methoden der Erziehungswissenschaft. Eine Einführung, Stuttgart: Kohlhammer, 2004.

(14) イマヌエル・カント(勝田守一訳)『教育学講義　他　世界教育学選集　60』(明治図書，1974年)，27−28頁〔Immanuel Kant, Über Pädagogik, Königsberg, 1803, S. 27-28. https://www.deutschestextarchiv.de/book/view/kant_paedagogik_1803?p=1 (2022年9月29日閲覧)〕

(15) Koller, Grundbegriffe, Theorien und Methoden der Erziehungswissenschaft, S. 39-40.

和感なく受け取っているようであった。カントの名を出さずに，ゼミで「子どもの自由を制限せざるをえないとすれば，それはどのような場合か」，と聞いた際も，前述の三点に関わるような事例が学生から上がってきた。

また，これに関連し校則について議論した際も，興味深い違いがみられた。日本では現在ブラック校則廃止の動きがあるが，共産党が実施したアンケートによれば，廃止しようとしたができなかった例が大部分を占める(16)。一方ドイツの学生は，日本に比べて校則が少なく，また複数の学生が，「先生たちは新しい校則を作ろうとしたけど，結局できなかった。」と報告していた。確たる理由もない校則を廃止するのさえ困難な日本の学校と，十分に理由づけができず，校則づくりを断念するドイツの教員。このように記述すると日独のコントラストが強調されてしまうが，ゼミナールでは，共通点，共通の課題も見つけることができた。ドイツでは校則は少ないが，ピア・プレッシャーが強く，仲間外れにされないため，いじめられないために，所属グループに合わせることを余儀なくされる場合も多いという。母親が日本人の学生は，本当はもっとファッションを通して自分の中の日本人の部分を表現したかったが，周りのトレンドと違ったので，十代の頃はそれが難しかった，と報告していた。どのような社会であれ，グループに所属して生きていく以上，ある程度個人の自由は制約される。それを，集団志向と表現するのか，「連帯（Solidarität）」またはチーム・ワークと呼ぶのかは状況によるが，基本的に個人の自由は，社会の中で他者と共存していくためには制限されうるものであり，個人か集団か，ゼロか百かの問題ではなく，どのようにそのバランスを取るのかの問題である，ということが確認出来た。このようなディスカッションを通して，個人主義の西洋，集団主義の東洋と言う二分法的な見方からは，一度離れることができたのではないかと思う。

6 おわりに

以上，ドイツにおける日本研究の「意義」，特に「身近な問題をより多角的に理解する」地域研究の可能性について，デュッセルドルフ大学の例を挙げつつ，考察した。おわりに代えて，私自身が考えるドイツ学の「意義」について述べたい。私自身は，ドイツ文学やドイツ語を大学で専攻した事はないが，日本の教育学，特に教育哲学がドイツから大きな影響を受けていることを考えると，ドイツ学と無縁だったというわけでもない。私個人にとってドイツ語，ドイツについて学ぶ意義は，三つ目の視点の獲得であった。日米比較のみだと，東洋と西洋という二項対立的な視点に陥ってしまう可能性があるが，ドイツという視点を得たことによって，西洋社会の多様性，複雑さがより鮮明に理解できたし，安易な二項対立には陥らないようになった。さらに，日本はドイツから大きな影響を受けた国であり，自国の歴史（私の場合は日本教育史）をより理解することができた。またシンポジウムでも話題になったが，ドイツ語を介した東欧諸国との対話の可能性についても述べておきたい。直近の例を挙げれば，最近ドイツ語を通してウクライナの大学教員から直接現状を聞くことができた。どこまでが東欧なのか，ウクライナは東欧に入るのかについては意見が分かれると思うが，ドイツ語を通した交流の拡大という意味では，例に挙げて良いのではないかと考える。2022年の冬学期は，ドイツ人の同僚が企画した，「ウクライナ・デジタル（Ukraine Digital）」という輪講形式の講座に参加した。この講座はDAADの資金援助を受け，戦争のために減少したウクライナの大学の講座数を，ドイツからのリモート講義で補う事を目的とする。講義はドイツ語で行われ，DAADと契約したウクライナ人教員が内容をウクライナ語に逐次通訳した。先日のZoomミーティングで，ポルタヴァ教育大学のドイツ語教員が，同大学の3・4年生はウクライナ領土防衛隊で活動中のため，対面授業に参加できない状態だと報告していた。ドイツからリモートで行う講座の対象には，こういった学生も含まれるという。こうした機会を頂けたのも，一重にドイツ語ができたおかげだと思うと，個人的にはドイツ語・ドイツ学研究をする意義は，大いにあると強調したくなる。ドイツ学に限った事ではないのかもしれないが，第三の視点は，人生の経験を豊かにしてくれるし，研究の視野も広げてくれる。シンポジウムでも話題になったように，これからはドイツ語を介した専門分野の対話を増やしていく事が，ますます重要になってくるだろう。

---

(16) 日本共産党「第7回　校則を変える。強い思いが伝わってくる回答」 https://www.jcp.or.jp/web_info/questionnaire-results-7.html （2022年9月29日閲覧）

安倍能成，ダメ学者と呼ばれて（も）

高田里恵子

Nosei Abe oder Der gescheiterte Philosoph

Rieko Takada

1 なぜ安倍能成なのか

安倍能成（1883～1966）が82歳で亡くなったとき，まだ現役の学習院院長であり，かつての文部大臣でもあり，また明仁皇太子の教育掛を務めていたこともあって，首相や皇室関係者を含む著名な会葬者たちを集めた盛大な告別式になったと当時の新聞が伝えている。こうした世間的な華やかさと学問的業績の乏しさとのギャップは，すでに安倍の生前から彼を語るさいの定番になっていた。清水幾太郎は追悼演説のなかでこう言う。

> 院長には何冊かの著書がございます。しかし，正直に申しますと，その中で今後も大いに有意義であるようなものは，殆んどないのではないかと思います[(1)]。

もっとも，こういう言葉を追悼の場所で堂々と言ってもらえるのは，むしろ安倍の大らかさの証拠となるのかもしれない。大宅壮一の追悼記事はもう少し明瞭な悪意を含んでいるが，いまは知る人も少ない安倍能成の経歴の紹介にもなるので，長くなるが引用しておきたい。「初め文学を志望した彼は，当時文壇の最高権威だった夏目漱石に師事した。その後，文学をあきらめ，学者・思想家たらんとして，近代哲学の最高峰カントに傾倒した。しかし安倍氏は，文学者としても，学者・思想家としても，代表的著作といえるようなものは何一つのこしていない。折にふれての随筆，感想，翻訳，紹介のたぐいがあるだけで，まとまった研究すらない。この種の文筆家は，普通ジャーナリストと呼ばれているのだが，彼はアカデミシャンということになっている。文学者でも学者・思想家でもなくて，しかも世間から権威をもって迎えられているもの，あるいはそれを望んでいるものがさいごに到達するところは，教育者の地位である。安倍氏の場合もそうで，京城大学教授，一高校長を経て，学習院長を二十年もつとめた。教育者というよりも，教育行政家もしくは教育企業家としてその才能を発揮した。その間，貴族院議員，文部大臣，帝室博物館長などを歴任，こういった面においては位人臣をきわめたともいえる」[(2)]。

安倍が亡くなった朝に若い新聞記者がもらしたという「学者としては何の業績もありゃしないさ。哲学の本といっても解説書みたいなものばかりじゃないか」[(3)]という言葉は，すでに戦前から安倍について言われてきた悪口の典型である。あるいは，野上彌生子が「安倍さんなどはラヂオで哲学の通俗的な講演をさせるのにもっとも適任者であろう」[(4)]と1935年8月26日の日記に書いているように，大衆受けする学者という見方をされてきた。

学者にたいするこの手の軽侮は，現在ではいくぶん平凡に聞こえてしまうが，しかしいまでもヒソヒソ囁かれるくらいの機会は失っていないだろう。こうした言説の周辺には，学問研究とは何か，その研究の意義とは何か，意義あるオリジナルな業績とは何か，アカデミズムとジャーナリズムとの違いは何か，といった問題意識が小さく渦を巻いている。

シンポジウムのテーマ「日本におけるドイツ研究の「意義」?」を前にして，すでに紹介したようなダメ学者の言

（1）清水幾太郎「安倍学習院長追悼の辞」『世界』249号（1966年），228頁。
（2）大宅壮一「安倍能成氏の死」『大宅壮一の本 第2（人物篇人間鑑定法）上』（サンケイ新聞出版局，1967年〔初出1966年〕），339頁。
（3）小和田次郎『デスク日記3 ——マスコミと歴史』（みすず書房，1967年），99頁。
（4）野上彌生子『野上彌生子全集』第Ⅱ期第4巻（岩波書店，1987年），589頁。

説（時に愉快な響きさえもつそれらの，ほんの一部しか拙稿では引用できないのが残念である）[5]に取りかこまれ，自身のドイツ哲学研究の意義を四方八方から疑問視された安倍能成をつい思いうかべてしまった。安倍の半生を辿りながら，実はそれなりに長い歴史をもつ，そしてとりわけ人文系研究者を苦しめがちな「意義？」問題に触れてみるということが拙稿の主旨となった次第である。

ついでに言っておけば，日本での学問的評価はあまり芳しいものではなかったが，安倍は1955年に西ドイツから大功労十字星章を贈られている。この点では「日本におけるドイツ研究の「意義」」を本場から認めてもらった人物ということにもなる……。

2 煩悶と反抗

安倍能成は，現在のような学問研究体制のなかで育った最初期の研究者の世代に属する。これも安倍能成を取りあげる理由の一つである。

1883（明治16）年生まれの安倍は1900年前後に青春期を迎えるが，この20世紀初頭のエリート青年たちの変化は近代日本の曲り角をあらわすものとして，しばしば言及されてきた。いわゆる「煩悶青年」である。彼らは立身出世よりも，自らの内面を重視しはじめたというふうに説明されるのが普通であろう。あまりにも有名な象徴的事件が，1903年5月，当時の最エリート校と見なされていた第一高等学校の学生藤村操の華厳の滝投身自殺であった。安倍は藤村操の親しい同級生で，のちに藤村の妹と結婚することにもなるのだが，この自殺に大きな衝撃を受け，煩悶の末に落第までしてしまう。

ここでまず注目したいのは，安倍能成の世代の高学歴者が，政治思想史家の松本礼二が使っている言葉を借りれば，「制度通過型インテリ」[6]の最初の世代であったことである。「制度通過」というのは，近代日本の学校制度が完全に整ったあとに高等教育を受けていることを示す。要するに，エリートの煩悶は近代日本の諸制度の安定化・固定化と結びついていた。

さらに制度に着目するならば，彼らが壮年になったころ，1918年の大学令および高等学校令，1919年の帝国大学令改正によって，高等教育機関の数が増大し，大学教師としての研究者という現在のような位置が定まったことも挙げておくべきだろう[7]。

もう一つ，同じく松本礼二の指摘だが，この世代から，政治・行政エリートと文化エリートとが明確に分離していく[6]。これも制度の固定化の結果である。しかしより重要なのは，こうした文化エリートが，出世とは無縁で金銭的に報われなくとも，あえて自分は文化の領域を選択するのだという気概をもっていることであろう。のちに徐々に示していくことになろうが，若き安倍能成も，ある種の自負をもって東京帝国大学文科大学哲学科に進んだのだった。もっとも，結果的には大臣にまで出世するのであるが。

さて，煩悶の次は反抗である。安倍能成の生涯の親友であり，同じく「煩悶青年」だった岩波茂雄が二度の落第ののちに一高を中退し，古本屋を経て1913（大正2）年に岩波書店を創業したこともよく知られているだろう。弱小出版社を一躍成長させたのが夏目漱石の『こゝろ』の自費出版と，1915年から刊行をはじめる「哲学叢書」であった。編集役には，岩波茂雄の一高同級生である安倍能成と阿部次郎と上野直昭が就いた。

そして刊行の辞を，岩波の代筆で安倍能成が書く。「而して執筆の著者は皆新進気鋭の学者にして，最も敏感にして熾烈なる学者的良心を有する士，虚名未だ広く世上に知られざるも実力は断じて所謂大家に劣るものにあらず」[8]と高らかに宣言されているように，若かった彼らはまだ無名であった。岩波茂雄の思い出を読んでみよう。「つまり哲学といえば，当時は井上哲次郎，中島力造，その方の専門で，少なくともその方の序文がなければ本が売れなかったくらいの時勢だった。そこへもって来て新進気鋭の士が，そういう風潮に反抗したというか，一般的に哲学の教養を与えることが必要だと思うという立場から，実力を以て問おうということからやった。（・・・）少しも知られて居なかった。今日では大学の教授になって居るが，そんな連中が皆寄ってやろうじゃないかという訳だった」[9]。

この叢書は，若者たちが既成の帝大教授たちの威光を借りないで，むしろ彼らの権威への反抗として成した仕事であった。しかも，育ちつつあった教養ある一般読者向けの企画であり，その意味でも画期的だった，あるいは教養主義的であった。やがて，「両アベ」（当時安倍と阿部をあわせてこう呼ぶことがあった）も帝大教授として権威の側に位

（5）安倍能成をめぐるさまざまな言説については，高田里惠子「安倍能成とは誰だったか？ ――彼に語らせずに彼を語る」を参照されたい。桃山学院大学総合研究所『人間文化研究』16号（2022年），67-92頁。
（6）松本礼二『知識人の時代と丸山眞男――比較20世紀思想史の試み』（岩波書店，2019年），14頁。
（7）この点に関しての詳細は，竹内洋『教養派知識人の運命――阿部次郎とその時代』（筑摩書房，2018年）の第10章「大学教授バブル」を参照されたい。
（8）岩波茂雄（安倍能成代筆）「哲学叢書刊行に就いて」『岩波茂雄文集1』（岩波書店，2017年〔初出1915年〕），33頁。
（9）岩波茂雄「昭和17年9月19日及21日岩波茂雄先生を囲む座談会」『岩波茂雄文集3』（岩波書店，2017年），291頁。

置付けられていくわけだが，主観的にはいつまでも若々しい反抗者の魂をもちつづけていたように見える[10]。このことは彼らの同級生の出版社にも（おそらく現在でも）あてはまるのだが。

3 正直第一の帰結

反抗青年たちの「哲学叢書」は思いがけずよく売れたが，しかしこのなかのほとんどのものが，現在の感覚で言えば，著書というよりも翻訳に近かった。きっちりすべてを翻訳しているわけではないので「超訳」かもしれない。翻訳権を取得していなかったから海賊版とも言える。ただし，このことは別に隠されていない。安倍能成は，1916年に『西洋古代中世哲学史』，翌1917年に『西洋近世哲学史』を出すが，前者はハンス・フォン・アルニムとクレメンス・ボイムカー，後者はヴィルヘルム・ヴィンデルバントの翻訳であり，「殆ど全体に於て原書に従った」[11]ことを前書きで述べている。「本書に若し価値ありとせば，それが大部分両氏（アルニムとボイムカー――筆者）に負うことは固よりである。予は寧様々の条件の下に，色々な点に於て両氏の著述に加削をなしたことによって，その価値の損傷することの少からざりしことを衷心より恐れて居る」[12]。

阿部次郎も『倫理学の根本問題』（1916）の前書きで「本書は未熟なる自分の私見を述べたものではない」，テオドール・リップスのほぼ翻訳だと言っているのだが，続けてこうも書いてしまう。「若し本書が単純にして無味なる紹介以上に生きているとすれば，それはリップスと自分との間に内面的の繫がりがあるからである。リップスを通じて自分が自分の云いたいこと云っているからである。その限りに於いて本書は又自分の倫理学でもある」[13]。

ハッタリをかます次郎に比べて，能成の謙虚な正直さが際立つ。晩年，著名人として色紙を求められると「正直第一」と書いただけのことはある。しかし少々正直すぎたのかもしれない。ダメ学者安倍への批判はおおむね当たっているようが，安倍が自分自身で正直に言っていることでもある。

初の書きおろし単著『オイケン』（1915）の前書きで安倍は次のように言う。「私はこの小著に於て，出来得るだけオイケン其人の著述によって，オイケンの思想を伝えようと努めた。（・・・）私はこの小著によって私の独創を誇ろうとする積などひとつもない。唯だよくもあしくも私の初めての著述なるこの書に対する責任を明らかにするまでである。そして世間の他人の説を自家の説の如くに装う者に倣わないということを示すまでである」[14]。

こうした著書の構成は，岩波書店から出版された『カントの実践哲学』（1924）や『スピノザ倫理学』（1935）にもあてはまる。つまり，伝記的事項をドイツの本より引き写し，本人の言葉を多く引用しながら，すでに言われている解説を繰りかえすやり方であるが，ここで重要なのは，それを隠さなかったことのほうであろう。

社会学者の佐藤卓己は安倍能成の正直さを褒めて（？）いる。「安倍は自らの論文が「西洋学者の著述の焼き直し」であり，岩波書店の出版に値しないと認めるだけの学問的誠実さを持ち合わせていた。そうした誠実な知識人は大学行政の世界にこそ必要であり，安倍は岩波書店顧問ばかりか，一高校長，文部大臣，学習院長などを歴任することになる」[15]。

これは実は大宅壮一の悪口と同じ内容をもつが，安倍能成の『岩波茂雄伝』（1957）のなかの次のような思い出話を受けたものである。「かつて私は岩波書店の「倫理学講座」（1933年刊行の『岩波講座哲学』――筆者）に載せた『西洋道徳思想史』の出版を頼んだところ，岩波はイエスと言わなかった。これは誰かの評価に従ったものであろうが，私自身もそれは西洋学者の著述の焼き直しで，ちょっと便利な書物ではあるが，別に岩波書店の重きを成すものだという自信もなかったので，その拒絶を甘受した」[16]。

しかしすでに示したように，別の「西洋学者の著述の焼き直しで，ちょっと便利な書物」は岩波書店からちゃんと出版されているので，安倍能成の「学問的誠実さ」は疑い

(10) 安倍能成のような保守的自由主義者は敗戦後「オールド・リベラリスト」と呼ばれるが，たとえば竹内好が「かれらはじつに権力に弱い。力行精神に乏しく，抵抗が希薄である。かれらは日本の一番めぐまれた時代に人となったので，その幸福という外的条件が，結果として彼らの批判力を弱めているように思う」と言っているように，その能天気なありようがしばしば批判されている。しかし，彼ら自身にとっては煩悶と反抗の青春時代だったわけである。竹内好「リベラリズムの天皇制」『竹内好全集』第6巻（筑摩書房，1980年〔初出1952年〕），311頁。

(11) 安倍能成『西洋近世哲学史』（岩波書店，1917年），1頁。

(12) 安倍能成『西洋古代中世哲学史』（岩波書店，1916年），2頁

(13) 阿部次郎『倫理学の根本問題』（岩波書店，1916年），2頁。

(14) 安倍能成『オイケン』（実業之日本社，1915年），1-2頁。ルドルフ・オイケン（1846～1926）は現在では日本でもドイツでもほとんど忘れられているが，1908年にノーベル文学賞を受賞し，多くの邦訳本が出版された。安倍も1912年に『大思想家之人生観』を翻訳出版している。漱石の講演や鴎外の短篇でもその名が言及されている当時の人気哲学者についての概説書を安倍は書いたわけである。

(15) 佐藤卓己『物語岩波書店百年史2』（岩波書店，2013年），39頁。

(16) 安倍能成『岩波茂雄伝（新装版）』（岩波書店，2012年），401-402頁。

えないが，岩波書店がつねに見識をもって「西洋学者の著述の焼き直し」を排除していたわけではない。

4 エッセイストへの道

安倍能成を最も厳しく，あるいは最も心を込めて批判したのは国文学者の大西貢である。安倍の死から一年ほど経って，当時高校教師だった大西は，なぜ安倍が学問の世界で挫折したかを分析する論考を高校の研究紀要に発表する。そして「才能がなかったというよりも，むしろ，彼自身の人生観と学問に対する考え方に，その根本的な原因なり欠陥があったのではないか」(17)と断じた。後年，愛媛大学教授として出版した研究書の後書きで，「同じ愛媛県の者として（安倍は松山市の出身——筆者）厳しすぎるのではないか，という注意をしてくださる人」もあったと振りかえりながら，こう続ける。「私などの如き，田舎教師から見ると，ずいぶん恵まれた境遇にあり，才能にも富んでいながら，何故，歴史に残し得る学問的業績なり学問の体系を造り上げるべく，真剣に努力しなかったのか，それを惜しむ気持が強く，可愛さあまって憎さ百倍という結果になってしまったのではないかと思う」(18)。

大西が指摘しているとおり，あるいは安倍自身が正直に言っているとおり，ドイツ官費留学を終えて京城帝国大学に赴任した昭和初年ころから，哲学研究への意欲を失くしていった。最晩年の自叙伝にはこんな告白が見られる。「大学では西洋哲学を習ったわけだが，西洋哲学の学問的研究には，西洋に居る間にも帰ってから後も，とうとう沈潜することはなかった。告白すればそれに相違はないが，それはもとより自慢になることでもない」(19)。

金銭的にはともかくとして，若い時分から書く場所に関しては「ずいぶん恵まれた境遇」にあった安倍能成はしかし，すでに20代の終わりごろから「自己の問題に遠ざかって」(20)書くことに違和感を覚えてしまうこと，「自分自身の生活に何等かの意味で発展があるか発展を欲する要求がないと書き得ない」(21)ことを告白していた。

この種の発言も一つの正直さのあらわれなのであろうが，文芸評論や西洋哲学研究が「自己の問題」とは切実に関わっていないように思われてきたということである。不完全燃焼感を長く抱えながら，やがて「その形式として学的な論文よりも，思うことを自由に表現し得る随筆風の文章を書くことが多くなっ」(22)ていった。

1937（昭和12）年には「随筆を書く心持」という文章を『中央公論』に寄せている。そのなかで「私は大学の教授として学者の一人であるべき筈であるが，世間は私を学者としてよりも随筆家としてみとめてくれて居るかもしれない」(23)と言い，しかし同業者たちの眼は批判的もしくは侮辱的であり，こんなことをしていて大丈夫かと心配までしてくれる親切な御仁もあると付け加えている。

エッセイスト宣言する帝大教授。だが安倍は，たとえば同じ漱石門下の帝大教授寺田寅彦や和辻哲郎と比べるとエッセイストとしてもそれほど高い評価を得られなかった(24)。安倍のエッセイスト稼業は林達夫から「文筆家的退職状態」(25)と批判されてしまうのである。

「文筆家的退職状態」という言葉は，東京帝国大学文科大学で哲学を講じたラファエル・フォン・ケーベルにあてはまるかもしれない。現在では大正教養主義の源泉として必ず名前が挙がり，若き日の「両アベ」や魚住折蘆などに慕われたことで知られる「ケーベル先生」はドイツから極東の地に辿りついた時には，もうほとんど隠居的な存在であった。安倍はこうした老先生の姿を「いい意味に於けるエッセイスト」と呼び，次のように続ける。それは安倍自身のことを語っているとしか思えない。「先生は夙に哲学体系を築上げることをば天才の仕事として断念せられて居たし，——私は先生のこの断念を外の人に強いようなどとは一つも思って居ない——ことに本来が体系の形式よりはその根本の精神を重んじて，所謂体系の末梢につき纏う煩冗や虚偽を嫌っておられたし，また晩年に至っては学問としての哲学への興味は，もう殆ど失っておられたように思

(17) 大西貢「大正期教養派の成立とその挫折——安倍能成の文芸評論」『近代日本文学の分水嶺——大正文学の可能性』（明治書院，1982年〔初出1967年〕），204頁。
(18) 大西「あとがき」『近代日本文学の分水嶺』，322頁。
(19) 安倍能成『我が生ひ立ち』（岩波書店，1966年），539頁。
(20) 安倍能成「田舎の友への手紙」『予の世界』（東亜堂書房，1913年〔初出1910年〕），169頁。
(21) 安倍能成「凡人凡語」『山中雑記』（岩波書店，1924年〔初出1917年〕），286-287頁。
(22) 安倍『我が生ひ立ち』，557頁。
(23) 安倍能成「随筆を書く心持」『朝暮集』（岩波書店，1938年〔初出1937年〕），2頁。
(24) ただし，京城時代に書いたエッセイは植民地のありようを伝える資料として現在でも取りあげられる。『日韓併合期ベストエッセイ集』（筑摩書房，2015年）では，43篇のエッセイのなかで10篇が安倍能成のものである。編者の鄭大均は序文で「これは少しバランスに欠けた印象を与えるかもしれないが，戦前から戦後にかけての安倍の存在感やそのエッセイストとしての力を知るものには違和感はないはずである」と断っている（14頁）。
(25) 林達夫「『草野集』の不協和音」『林達夫著作集4』（平凡社，1971年〔初出1936年〕），355頁。なお，安倍の「随筆を書く心持」は林への反論として書かれたものである。

われ」[26]たと。

5 文科（文化にあらず）の守護神として

西洋哲学・文学系の日本人研究者で，安倍能成の気持ちなぞまったく理解できないと言える者は，才能に満ちあふれた人間か，あるいは極めて幸福な人間以外にはいないのではなかろうか。わたしたちの研究の意義はかくもグラつきがちである。

しかしながら，ここで違う文脈をもちだしてこないと，安倍能成の学問研究観の全体を捉えそこなうことになるだろう。安倍は人文系学問の意義を主張しつづけたのである。現在でも数年ほど前から文系学部廃止論なるものが囁かれるなかで，人文系学問や人文的教養は役に立つのか，その意義は何かといった議論がなされることがあるが（当シンポジウムもこのことと無関係ではあるまい），こうした話はいまにはじまったものではなく，一世紀ほどの歴史をもつ。そのなかで安倍は断然，文科（現在の文学部）擁護派であったのだ。

まずは，安倍がまだ大学に定職をもたず，「生活に困る方の高等遊民」[27]だったころの話からはじめよう。大戦景気に沸く1917年，国文学者芳賀矢一東京帝大教授の「法科万能主義を排す」という論考がちょっとした波紋を呼びおこした。現在の文系学部不要論では，法学部も文学部も同じように縮小の対象にされているのだろうが，明治期には法学は工学と同じくらい近代法治国家の建設と運営のために必要な実学と見なされていたらしい。芳賀は，官吏任用から民間会社への就職まで，すべてにおいて法科の学生が優遇されている，つまりは文科の学生と文科の科目が不当に貶められている歪みを指摘する。「直接に文明の過去を取扱って，将来の指導を与えるのは文科に属する学問である。其の応用の広汎にして，且重大な事は言を俟たない。世界の大混乱，大変動の時世に際して，法科万能主義で済まして行かれようか。（・・・）文科に属する学問の素養のない人だけで国家を塩梅調理して行くことが，いかにも危険に感ぜられるのである」[28]。

こうした感じに説かれる文学部や人文的教養の意義は現在でもよく見かけよう。安倍は芳賀の論に賛意を示したうえで，しかし文科の人間が法科と同じように良い就職口に恵まれてもあまり意味がないのではないかと続ける。「各分科大学の内にも文科の科目は，直接功利の具としては縁遠い，しかも更にそれよりも根本的な，目前の功利の上に出でたる，いわば真善美の境地を目ざすものである。私はかくの如き職分を有せる文科大学は，当然文教の中心たるべきものであると思う。かくの如く考え来る時，文科大学の卒業生は，単に法科の卒業生とその割前を争うことの外に又別天地を有する。殊に法科が就職と密接の関係を有するという事情から，試験万能の幣に陥って，学生の総ての努力と目標とを試験の結果に向わしめるに対して，文科がそれ程に試験万能の幣を受けずして，成績点の差異が，直ちに就職の成否に関係することが法科ほど甚しからず，所謂優等生と優等生ならざる者も，比較的平等に不景気であることは，見方によっては寧ろ喜ぶべきことであるとも考えられる」[29]。

安倍らしい率直さのせいで若干凡庸な見解にも映るが，人文系学問の功利的でない純粋性に意義が見だされている。この「動機の純粋」[30]は安倍の最も大切にしたものだった。「私は学問をよく勉強したと思わぬと共に，学問によって名聞と栄誉とを得ようと志したこともない」[31]とは最晩年の言葉だ。安倍が盟友岩波茂雄を称えた点も，岩波が「此等著者の裏にある真善美の無私にしてひたむきなる讃仰者」[32]として採算を度外視して本を出版したこと，「世間の注意せぬ，又世間から報いられぬ哲学，数学，自然科学の基礎理論を研究せんとする年少学徒への助力をめざした」[33]ことである。もっとも，安倍が言い添えるには，「利害を無視して始めた仕事が妙に商売的に成功した」[34]のだが。

6 外地における「西洋研究」の意義

「功利の具」法学にたいして厳しい評価を下した安倍能成は，まだこの時，後年自分が法学部と文学部の対立に苦しめられるとは思っていなかったろう。安倍が赴任したのは，法学部と文学部をくっつけた法文学部だったのである。法文学部は後発の帝国大学であった東北と九州につくられ，外地の最初の帝国大学たる京城もそれに倣ったかた

(26) 安倍能成「人間としてのケーベル先生」『山中雑記』〔初出1924年〕，445頁。
(27) 安倍能成「文壇の高等遊民」『予の世界』（東亜堂書房，1913年〔初出1911年〕），246頁。
(28) 芳賀矢一「法科万能主義を排す」『編年体大正文学全集』第6巻（ゆまに書房，2000年〔初出1917年〕），531頁。
(29) 安倍能成「文科大学の問題」『思想と文化』（高陽社，1924年〔初出1918年〕），360頁。
(30) 竹山道雄「安倍能成先生のこと」『竹山道雄著作集4』（福武書店，1983年〔初出1981年〕），203頁。「先生は動機の純粋についてやかましかった。漢学の素養とかカント倫理学とかもあったろうけれど，これはやはり持って生まれた性格だったにちがいない」。
(31) 安倍能成「高橋里美君のこと」『涓涓集』（岩波書店，1968年〔初出1964年〕），140頁。
(32) 安倍能成「岩波を弔う詞」『一日本人として』（白日書院，1948年〔初出1946年〕），198頁。
(33) 安倍能成「岩波と私」『一日本人として』〔初出1946年〕，216頁。
(34) 安倍「岩波と私」，214頁。

ちになった。それこそ芳賀矢一の言う「文科に属する学問の素養」のある法学士を育てることが目指されたわけだが，結局はうまく行かなかったようである。京城では，法学部の学生もたとえば安倍の哲学の講義を履修できるといった当初の制度は，やがて法学部の側の都合で変更になったという(35)。同僚だった上野直昭は，こうした京城時代の数々の不愉快な経験から，安倍文部大臣は法文学部の廃止を決めたのだろうと推測している(36)。

しかし外地の大学に赴任するにあたって書かれた「京城帝国大学に寄する希望」という文章を見ると，安倍がそれなりの理想と決意を抱いていたことがわかる。そこでは，大学の第一義は研究にあると何度も強調されている。大学を有利な就職口を得るために通過する場所と捉えてもらっては困ると。また，優遇されている帝国大学教授にはそれだけなお一層研究に励むべき義務があると。「殊に財政の困難なる朝鮮の地に於て，二千万の同胞の辛苦によって捧げられた金を使って，我々が研究をさせてもらうことは寧ろ勿体ない位である。我々は否私は実に自分が果たしてその任に堪え得るや否やを危惧する者である」(37)。

第二に力説されるのは朝鮮半島における「西洋研究」の意義である。京城には「その位置上から，東洋研究の中心となるべき独特の使命」(38)が与えられたが，これは西洋研究の排斥を意味するのではないと。「彼を知らずして我を知ることが不可能なるを思えば，東洋研究の為にも西洋は研究せられねばならない」(39)。いや，もっと踏みこんで言えば，「ギリシャ人の小亜細亜に開いたミレトスの町がギリシャ哲学の誕生の地であったように」，「京城帝国大学の位置は，独りこの大学をして東洋研究の中心たらしめるのみならず，西洋研究に於いても亦新生面を発揮する場所たらしめる可能性を有する」(40)。

7 非常時における文科の無意義

当初の「希望」は次第に消えていった。安倍帝大教授が自分の研究の意義に迷いはじめたことについてはもうこれ以上触れまい。京城にいること自体が辛くなり，1940年秋に安倍は「心中に逃避の念を抱いて朝鮮を去った」(41)。「異民族が朝鮮を支配して居ることに良心の不安を感じ，母校一高の校長を勧められた機会に，京城帝国大学の職を辞したのである」(42)。

朝鮮人学生たちの不平不満が文科の空気を重くしていったという見方を，安倍は当時も戦後ももっている。これは間違った見方とは言えないが，しかし学生たちの不満も当然であった(43)。安倍によれば，朝鮮人学生には圧倒的に法科志望者が多かったが，日本語で行なわれる入学試験からして彼らには不利であったため，法科の大半は，同じく法科志望が多い「内地人」で占められてしまった。そして，文科に多かった朝鮮人学生たちは卒業後に教職を得ようとして，今度は就職差別に苦しむことになったと(44)。

京城を去る一年前の1939年，朝鮮人学生の鬱屈を安倍なりに何とかしようという思いからか，「半島の学生に与うる書」なる文章を書いている。安倍は彼らの官吏志向を指摘し，位置が得られればもうそれで学問を放りだし，得られなければすぐに学問の甲斐なさに文句を言う態度をたしなめている。要するに，学生たちが功利的すぎるところから不平不満が出てくると安倍は捉えていたわけである。「併し今後真に朝鮮の文化を背負うべき青年諸君に対しては，諸君の理想を今少し高め深め，諸君の自負と自信とを今少し安っぽくなくすることによって，この難局を凌いでいってもらうより外はない」(45)。ちょうど若き一高生安倍能成が文科大学に進んだ時のような「純粋」な気持ちを掲げて，と付け加えておこう。

こうして安倍能成は「問題に充ちた朝鮮」(46)を離れ，懐

(35) 松月秀雄「法文関係想い起こすことども」京城帝国大学創立五十周年記念誌編集委員会編『紺碧遥かに――京城帝国大学創立五十周年記念誌』（1974年），96頁参照のこと。
(36) 上野直昭「安倍能成追憶」『邂逅』（岩波書店，1969年〔初出1966年〕），262頁参照。
(37) 安倍能成「京城帝国大学に寄する希望」『青年と教養』（岩波書店，1940年〔初出1927年〕），179頁。
(38) 安倍「京城帝国大学に寄する希望」，180頁。
(39) 安倍「京城帝国大学に寄する希望」，181頁。ところで，敗戦後も同じような主張が繰りかえされている。「我々はこの現下の敗戦日本に於いて，特に西欧学藝研究の意義の重大を認めるものである」。「自を知るは他を知ることであり，他を知るは自を知ることである。我々は日本文化を知る為に西洋文化を知らねばならない」。「西欧学藝研究の意義」『私の歩み』（要書房，1949年〔初出1948年〕），24頁。
(40) 安倍「京城帝国大学に寄する希望」，182頁
(41) 安倍能成「日鮮協同の基礎」『一日本人として』〔初出1947年〕，184頁。
(42) 安倍能成「『朝鮮文化史』を推薦する」『朝鮮研究』52号（1966年），1頁。
(43)「韓国側同窓の立場から見た城大――兪鎮午（法・一回）さんは語る」『紺碧遥かに』（406–412頁）を参照されたい。
(44) 安倍『我が生ひ立ち』，551頁参照。なお，1942年の時点で法文学部における朝鮮人学生の割合は約42％である。馬越徹『韓国近代大学の成立と展開』（名古屋大学出版会，1995年），133頁参照。
(45) 安倍能成「半島の学生に与うる書」『青年と教養』〔初出1939年〕，196頁。
(46) 安倍能成が1935年10月に発表した論考の題名。拙稿では触れえないが，かなり踏みこんで朝鮮総督府の政策を批判している。『草野集』（岩波書店，1936年），112–129頁参照。

かしい一高へと逃げ帰ってくる。ただし，恵まれた一高生たちの理想が特に高く，功利的でなかった，というのではない。1940年には一高文科生「二百余名中，文学部全体を通じて志望者はたった十二三人だそうである」と安倍は大いに嘆いている。この場合の文科，つまり旧制高校の文科は文科系という意味で，ここから帝大の法学部や文学部などに分かれていくのだが，「近頃非常時殷賑産業，軍事政務の多端」のせいで，文学部に進学する者が以前にもまして少なくなっているというわけである。「邦家が危急を通じて大いに興らんとする時，また興るべき時果たしてこれでかまわないか」と危機感を募らす安倍は，芳賀教授の呑気な大正的嘆きをほとんどそのまま受け継いでいるように見える(47)。

安倍が一高校長に就任して一年余りで，アメリカとの戦争がはじまる。やがて戦況の悪化と人心の荒廃とともに1943年10月には文科系学生にたいする在学徴集延期措置が外された。いわゆる学徒出陣であるが，よく知られているように理科系学生は卒業まで入営を延ばすことができた。ここでは現在の文系学部不要論と同じように法学部も文学部も等しく，その意義を認められなかったわけである。非常時は法学部と文学部の対立，功利と純粋の対立などあっさり吹き飛ばしてしまった。安倍校長も，在学中に徴兵適齢を迎えた文科生たちの出征を見送らなければならなかった。もはや意義云々ではなく，命の問題になっていく。

敗戦4か月前の一高入学式，新入生たちの前に立つ校長の姿とともに，「意義？」の問題を辿ってきた拙稿を閉じることにする。

安倍校長の入学式の挨拶は鮮明に覚えています。戦争中の45年4月12日の夜，入学式の冒頭安倍さんは文科生の方に体を向けなおして，「よく文科に入ってくれました」と言いました。参りましたね。私は44年春には文科志望でしたが，文科の徴兵猶予は停止され，理科には猶予は継続されました。物理は好きで，理科は嫌いではなかったが，理科志望は徴兵逃れの転換で，裏切り者でした。安倍さんは文科志望者に「有難う」と言ったのです。大礼服に身を固めた安倍さんの印象は強烈でした(48)。

（本研究はJSPS科研費JP22K00498の助成を受けたものである。）

(47) 安倍能成「文科の志望者」『巷塵抄』（小山書店，1943年〔初出1940年〕），124頁。
(48) 今西一「占領下東大の学生運動と「わだつみ会」」(1)──岡田裕之氏に聞く」『商學討究 The economic review』60巻2・3号（2009年），38-39頁。

コメント：ドイツ研究をめぐるさまざまな「危機」

相澤啓一

Kommentar: Über die diversen „Krisen" der Deutschlandstudien in Japan

Keiichi Aizawa

本シンポジウムの背景にあるのはドイツ研究をめぐる「危機」の意識である。冒頭の辻朋季氏による問題提起でも，日本の人文科学の衰退やドイツ（語）のプレゼンス低下といった兆候があげられていた。とはいえ，三講演がそれぞれかなり趣の異なるテーマを扱っていることにも見られるように，多様な見方が可能であって，必ずしも同一の危機意識が共有されているとは言えない。そこで本コメントでは，日本におけるドイツ研究の意義を問い直しながら，論点整理と分析を行いたい。

ドイツ研究はドイツ語圏を対象とする地域研究として位置づけられる。地域研究は，独立したディシプリンというよりは，既存の学術分野を批判的に補完するために地域毎の視点を導入した学際研究である。そのあり方は対象地域ごとにかなり多様であって，例えば国際政治研究者の活躍が目立つ「ロシア研究」とは異なり，ドイツ研究では必ずしも国際情勢が中心テーマではない。少なくとも日本ドイツ学会は，歴史学や文学研究，政治学や教育学など，人文・社会系各分野を自らの専門領域とする多様な研究者が，ドイツ（本稿では便宜的にドイツ語圏の社会や文化を「ドイツ」と総称する）を主要な研究対象とし，あるいはドイツ語を共通の使用言語として幅広くゆるやかに集まっている集団である。とはいえ，高田里恵子氏が取りあげたドイツ哲学者の安倍能成も，広い意味でドイツ研究を行なった代表的人物の一人であるが，自らをどこまで「ドイツ研究者」と意識していたかは定かではない。このように「ドイツ研究」との関わり方には分野ごと・研究者ごとに違いがあり，危機意識の持ち方やその中身にも濃淡がある。私たちがここで論じているのは，いかなるドイツ研究の「危機」についてであろうか？

ドイツ語圏に住む人々による自らのアイデンティティ模索からスタートしたドイツ語学・文学研究（Germanistik）とは異なり，外から学際的にドイツを考察する「ドイツ研究（Deutschlandstudien）」は，国際学会組織を持たないマイナーな学術分野である。その点，ヨーロッパ日本研究協会（EAJS）やアジア研究協会（AAS）といった国際学会を持つ日本研究（Japanese Studies）ともやや状況が異なる。ティル・クナウド氏の講演では，日本研究のポストが国際的に減る危機の原因として，経済力が低下した日本よりも中国が重視されつつあること，またグローバル化や（オンライン会議や自動翻訳などの）テクノロジーの急速な進歩の中でネーションを単位とする地域研究のあり方そのものが変化していることなどが指摘され，ドイツ研究と日本研究の共通点と相違点が浮かび上がった。ただし，少なくとも日本のドイツ研究の文脈では，経済力が低下したドイツが見限られるといった危機感は（後述する「煙独」的な主張を除いて）あまり共有されていない。

一般に個別地域研究のあり方や性格は，その研究対象以上に，対象に向けられる研究主体の側の関心やニーズによって規定される部分が大きい。例えば中国でのドイツ研究のありようは，日本におけるそれとは大いに異なることだろう。日本のドイツ研究は，近代日本がドイツからさまざまな科学技術や法制度，また文化芸術を受容してきた交流史を背景にしている。「ドイツ語圏に対して広く文化的・社会的関心を持ちつつ，人文・社会諸科学の再活性化と国際化を目指すことが求められる」[1]として1985年に設立された日本ドイツ学会もまた，人社系学術や文化芸術を学ぶ相手としてのドイツへのトータルな関心とリスペクトの上に育ってきた。その経緯は，図式的にまとめるなら，ジャ

（1）日本ドイツ学会 HP 掲載の日本ドイツ学会設立趣意書（1985年4月25日）。（http://www.jgd.sakura.ne.jp/　2022年9月30日閲覧）。以下，本稿におけるインターネット・サイトの情報についてはすべて同日の最終閲覧による。

ポニズムに代表される日本の異質文化性（Exotik）に向けられて育った欧州における日本への関心とも，あるいは『菊と刀』に代表される敵国研究によって本格化したアメリカの日本研究とも対照的であり，ドイツ研究の危機が語られる際には（したがって以下の本稿においても），もっぱらこの母集団の利害関心に依拠して語られることになる。

日独が初めて出会った幕末から明治にかけての時期，日本は多くの御雇外国人を受け入れ，また多数の留学生をドイツに送るなどして，医学・法律・軍事など近代化を急ぐための実学を学んだ。例えば伊藤博文が明治憲法制定を念頭にローレンツ・フォン・シュタインらを訪れて憲法論を学んだり（1882），あるいは日本陸軍が普仏戦争の戦勝国からヤーコプ・メッケルを派遣してもらって（1885-88）戦術理論を学んだりしたとき，そこで得たノウハウや社会規範に関する学術的知見は当時最先端のドイツ研究でもあった。文化芸術の移入も次第に本格化する。エリート軍医としてドイツ滞在（1884-88）した博覧強記の鷗外がドイツの文学事情を詳細にリサーチして文学受容に決定的役割を果たしたのはこの時期の象徴的できごとであった。日清戦争後，ドイツ・イメージは三国干渉や黄禍論により一時的に地に墜ち，第一次世界大戦での日独直接交戦にまで至るが，1920年代には再び友好関係が復活し，俘虜収容所での日独交流といった美談すら語られるようになる。ハイパーインフレに苦しむドイツの学術研究を星一らが支援するケースもあり，そこからベルリンの日本研究所設立（1926）を始めとする活発な文化・学術交流も展開された。当時好んで受容されたドイツ文化の多くは大正教養主義との親和性が高く，安倍能成を始めとするドイツ研究者たちが帝国大学や岩波書店を活動の舞台として高い社会的声望と地位を享受したのもこの時期である。しかしそれも束の間，両国で自民族中心主義的傾向に歯止めがかからなくなると，せっかく育った文化・学術交流もイデオロギーに回収されてしまう。第二次世界大戦当時に日本語で書かれた膨大なドイツ研究書籍の一部は，今も古本屋街や大学図書館の本棚に黄色く煤けた姿を晒して学術研究が暴走した教訓を私たちに突きつけているが，国策プロパガンダの道具に成り果てる形で最盛期を迎えてしまったことこそは，日本におけるドイツ研究史上最大の「危機」であった。

戦後，自らの過去と取り組むという重い倫理的負債をそれぞれ抱えることとなった日独両国は，民主主義を掲げる西側先進工業国として復活し，ともに世界有数の経済大国へと発展した。その後現在に至るまで，少子高齢化や地球温暖化，グローバル化する経済への対応など，日独に共通する課題は少なくない。こうした歴史と共通性が，少なくとも日本においてはドイツを身近に感じ，ドイツ研究が活発に行われる基盤をなしている。しかし他方，経済も産業も学術も超大国アメリカに依拠するようになった戦後日本において，対独関係の重要性は次第に低下していった。ドイツ語はそれでもしばらくの間，戦前からの制度を維持してフランス語とともに第二外国語として多くの学生に学ばれたが，80年代には一部のドイツ語教育関係者から「健全な規模縮小」を求める声[(2)]が聞かれるようになり，やがて1991年の大学設置基準大綱化に伴う第二外国語科目の自由選択科目化によってドイツ語の特権的地位に引導が渡された。ドイツでの日本語教育がマイナー言語としてではあれアニメ人気にも支えられて比較的順調に推移してきたのとは対照的に，日本のドイツ語教育が急激に規模縮小したことは，ドイツ研究にも少なからざる影響を与えることとなった。というのも，ドイツ語学習者の減少は単に大学におけるドイツ語教員ポスト数を減少させてドイツ研究者の就職先を減らしただけでなく，授業の質向上のためにドイツ語教育（DaF）専門教員の役割が重視されたことで，相対的にドイツ研究はさらに教育現場から遠のく結果となったからである。加えて国立大学の独立行政法人化（2004）や国立大学改革プラン（2013）など文科省による一連の「改革」は，人文社会系の若手研究者が安定したポストに就ける年齢を上昇させ，そもそも就職できる可能性を著しく減少させてしまった[(3)]。研究者としての人生設計が難しくなれば，いかに学術研究に関心を持つ優秀な学生であっても研究者を目指すことに二の足を踏む。研究者の空白世代が発生すれば，その分野の研究水準低下は免れない。こうした状況が現在のドイツ研究にとって深刻な「危機」を意味することは言うまでもない。

このようにドイツ研究の「危機」を論ずることに意味があるのは，ドイツ研究が日本社会を鏡のように映す一つの自画像となっていると言えるほどに近代日本にとってドイツが近しい存在であり，ドイツ研究の危機が私たち日本社会自身の問題を指し示しているとすら思われるからでもある。その意味で近年，ドイツ研究をめぐる最大の懸念となっているのは，「ドイツから学ぶ」ことを忌避しようとする「煙独」の空気である。例えば日本国外務省は「歴史問題Q&A」というサイトを作って「ドイツに比べて，日本は過去の問題への取り組みが不十分なのではないですか」との設問を立て，「日本とドイツは，それぞれ異なる

（2）轡田収／三島憲一／上田浩二「日本におけるドイツ語教育の状況をめぐって」日本独文学会ドイツ語教育部会編『ドイツ語教育部会会報』第30号別冊（1986年）。

（3）この点については拙稿「ドイツ研究の意義と課題 — 国立大学改革と「学問の自由」をめぐる議論から」，『ドイツ研究』第55号（2021年），77-82頁を参照。

方式により戦後処理を行っており，両国の取組みを単純に比較して評価することは適当ではありません。」[4]と日独比較を牽制する自らの答えを掲げている。これを石田勇治氏は，本学会誌所収の「『煙独』の風潮に抗して」と副題を掲げた一文で，以下のように批判している。

> 比較研究を戒めるかのような文章を日本政府が掲げる必要性がどこにあるのでしょうか。何か比較されると不都合なのでしょうか。〔…〕確かに現在，日本の近隣諸国にはこの問題でドイツを一方的に称賛し，返す刀で日本を貶める傾向が見られます。それは大いに問題です。その悪しき傾向に正しく反論し論駁するためにも，緻密な比較研究は必要ではないでしょうか[5]。

こうした煙独の風潮を図らずも呼び起こすきっかけとなったのは，日本で異例の反響を呼んだ戦後40年に際してのヴァイツェッカー大統領の演説だった。当時の中曽根内閣の戦後処理政策としばしば比較されたこの演説は，一方で内閣の意思表明としての河野談話（1993）や村山談話（1995）へとつながったが，他方でそうした傾向に苛立つ人々の間に「ドイツから学ぶ」ことへの反感やドイツを貶めるような発言を急速に広めることにもなった。自らの過去と批判的かつ誠実に取り組む姿勢を「自虐史観」とみなす人々は，1990年代以降のジェンダー・バックラッシュとも合流して，やがて「自信と誇りのもてる日本」[6]を取り戻して憲法改正を目指そうといった主張に共感してゆく。思想信条の自由や人権といった西側諸国の「共通の価値（gemeinsame Werte）」を侵害しかねない主張を躊躇しなかった安倍政権が，国際社会の規範を前に，「侵略」や「植民地支配」に対する「反省」や「おわび」をめぐる激しい綱引きの中で袋小路に陥っていった様子を，安倍首相による「戦後70年談話」（2015）[7]の煮え切らない長文テクストは雄弁に証言している。

このように「煙独」は，「共通の価値」に反発する日本回帰の動きと通底しているが，それが現代史研究をターゲットに始まったことはドイツ研究にとって重要であろう。特定の学術研究が学術的検証によってではなく政治信条や政権の意向によって牽制され排除されていく構造は，その後起きた日本学術会議会員任命拒否事件（2020）とも通ずるところがある。「意識高い系のドイツ研究者がまだドイツから学ぼうなんて言ってる」と嘲笑したい人々は，自尊心をくすぐってくれる『ドイツ見習え論が日本を滅ぼす』などの煙独本を愛読して優越感に浸り，やがてロシアによるウクライナ侵略戦争が始まると，それまでシュレーダー・メルケル両政権下で比較的寛容な対ロシア政策を重ねてきたドイツがエネルギー危機に苦労する様子を嬉しそうに揶揄することになるだろう。

日本が正しい道を歩んでおり，ドイツに対する優越感に根拠があるのなら，それもいいかもしれない。しかし果たして本当にそうだろうか？　最近の日本の状況を表すいくつかの指標を見るなら，ここ20年ほどの日本の凋落ぶりは目を覆うばかりである。世界のGDPに占める日本の割合は1995年の17.6%から2020年には5.3%に激減した[8]。1人当たり名目GDPについては1990年代に世界第3位だった日本は2021年には28位まで落ちた[9]。国及び地方の長期債務残高は2022年度末に実に1,244兆円（対GDP比220%）を超えるとされ[10]，アベノミクスによる異次元金融緩和政策を変えられない日本は底なしの円安に見舞われてももはや独自の金融政策を打ち出すことができない。Times Higher Educationによる世界大学ランキング2022では，ベスト300校以内に1校でもランキングされた33ヵ国中，1位アメリカ（76校），3位ドイツ（30校），8位韓国（9校）などの遙か後塵を拝した日本は22位（3校）であった[11]。世界報道自由度ランキングで日本は180ヵ国中71位（2010年は11位）[12]，男女平等ランキングでは146ヵ国中116位[13]といった異常な数字もしばしば引用される[14]。

半導体，液晶，太陽光パネル，リチウムイオン電池など，せっかく技術開発で先行したのに商品化に負けた日本の電機メーカーの多くは既に退場してしまった。80～90年代に輸出の花形だったウォークマンやデジカメやガラケーを引退に追い込んだスマホの大半は輸入品となり，国

（4）https://www.mofa.go.jp/mofaj/area/taisen/qa/index.html
（5）石田勇治「ドイツ現代史再考：「煙独」の風潮に抗して」，『ドイツ研究』第50号（2016年），47-56頁。
（6）安倍晋三の著書『美しい日本へ』（文芸春秋，2006年）のキャッチコピー。
（7）https://warp.ndl.go.jp/info:ndljp/pid/10992693/www.kantei.go.jp/jp/97_abe/discource/20150814danwa.html
（8）https://www5.cao.go.jp/keizai-shimon/kaigi/special/future/sentaku/s3_2_15.html
（9）https://www.globalnote.jp/p-cotime/?dno=8870&c_code=392&post_no=1339
（10）財務省理財局『債務管理リポート2022―国の債務管理と公的債務の現状』，154頁。https://www.mof.go.jp/jgbs/publication/debt_management_report/2022/saimu2022-3-ho.pdf
（11）https://grow-child-potential.com/6585.html#index_id2
（12）国境なき記者団の調査による。https://rsf.org/en/index
（13）世界経済フォーラム（WEF）の調査による。https://www3.weforum.org/docs/WEF_GGGR_2022.pdf
（14）本段落で言及したのはいずれも特に断りのない限り，本稿執筆時（2022年9月末）の最新統計に基づく状況である。

産コロナワクチンは開発できずに終わった。少子高齢化傾向に歯止めがかからないまま今後地方は確実に衰退し，とりわけ第一次産業が空洞化を加速させるなか，外国人労働者は入れたくないとなると，豊かな社会の夢も遠のく一方であろう。地震が頻発し最終処分場の見込みも立たないのに脱原発政策はいつのまにか放棄され，持続可能エネルギーへのシフトは頓挫している。歯止めの利かない赤字国債を日銀が引き受け続けることで株価を支え，オリンピックに期待し，「ニッポンすごい」言説を国内メディアにいくら氾濫させても，コロナによる令和鎖国を経てすっかり内向きになった日本の景気は残念ながら一向によくならない。むろんここに並べた問題はきわめて多様であり，その原因も複合的である。しかし，危機感が希薄で必要な自己改革能力を欠き，現実を直視した解決ビジョンが提示できない点は共通しており，先送りされ続けるさまざまな課題が日本社会全体に重くのしかかり始めている。こうしたガラパゴス列島の実態を覆い隠すための副産物の一つが「煙独」であったが，はたして煙独などやっていられる場合なのだろうか？

社会の凋落と自己満足の閉鎖空間は互いに補い合う共犯関係にある。没落に歯止めをかけたければ，身を切る改革を求めて改めて知的門戸をこじ開け，世界各国で何がどう動いているのか謙虚に学ぶためにモビリティを高め，対話を重ねる中から打開策を見出していくしかないだろう。その対話相手として，例えばドイツは相手にとって不足はない。むろんドイツも，エネルギー不足や移民問題など数多くの課題を抱えて深刻に悩み，開かれた公共の言論空間で連日激しい議論を繰り広げている。当然ながらドイツが常に最良の選択肢を選ぶとも限らない。しかし，社会規模も近代以降の歴史も国際的ステータスも日本とよく似るドイツがどんな論拠に基づいていかなる社会的コンセンサスを形成し，時間をかけた議論を経てそれをどう修正していくかのプロセスは，価値観を共有するはずの日本にとって大いに参考になるはずである。ドイツから法体系や選挙制度，社会保険制度などを取り入れてきた日本にはドイツとよく似た制度が数多く存在し，にもかかわらずその運用実態に決定的に異なる点が少なからず存在するからこそ，自他を比較しながら対話を重ねる相手としてドイツの存在は特に貴重なのである。

例えば，日本もドイツも同じように三権分立を掲げ，よく似た公務員制度や教育制度を育んできている。他方で，公務員の「政治的行為」を禁じ，教育現場において憲法に関する議論を敬遠し「政治的」発言をタブー視する日本の姿勢は，ドイツとは全く異なる。ドイツの公教育で当然のように実践される「政治教育」が日本の教育現場では極めて困難なゆえんでもあるが，この違いはおそらく，「中立性」の理解が日本とドイツで全く異なっていることに由来すると思われる。思想・信条・学問の自由，あるいは三権分立といった理念の根幹を支える原理が「中立性」であるが，日本ではこれがなぜか，個人の思想・信条や内心の自由に一律に規制をかけることに矮小化されて考えられがちになっている。そのため，例えばドイツなら裁判所の中立性を確保するために各政党からの提案のバランスを取る形で多様な政治色を持つ裁判官が選ばれるところ，日本では政党色を個人から排除することが中立性だとされるため，無色透明で非政治的とされる人物が最高裁判事や中央銀行総裁や内閣法制局長官に選ばれ，結果的にそれら組織が内閣の意のままに動かされて司法や中央銀行の独立性が深刻に脅かされるに至っている。ほぼ同一の概念を用いて似たような制度が運用されているかに見える日本とドイツで，なぜここまで異なる実践が展開されているのか，こうした点について改めてドイツと向き合い突っ込んだ議論をすることは，先進国から脱落しかけている日本の改革を進める上で大きな刺激を与えてくれるのではなかろうか？

こうして見るとき，日本におけるドイツ研究の危機は，ドイツを煙たがって改革を先送りしたがる日本社会が抱える危機そのものの表現でもあるようだ。そうであればなおさらのこと，ドイツとの間で人や情報のモビリティを再び高めて対話のチャンネルを活性化し，双方向の情報交換と率直な知的対話を深めることをめざすドイツ研究が，現状打破を目指す日本にとって今後ますます欠かせない貢献をしてくれるものと期待したい。

最後に蛇足かもしれないが，将来のドイツ研究を考える上で，日本からドイツへの留学生の中で芸術（とりわけ音楽）や人文科学を学ぶ人の割合が相変わらず突出して多いことの問題に触れておきたい。戦前まで多くの留学生をドイツに送ってきた医学はドイツ離れを起こして久しく，理工系の占める割合は低い。コロナ直前の2019年冬学期の数値によると，日本からドイツに留学した学生（計2358名）の専攻の内訳は，芸術（30%），人文科学（26%），法学（21%）の順となっており，工学は11%に過ぎない。それに対し世界全体からのドイツ留学生411,601名の内訳は工学（39%），法学（27%），人文科学（11%），自然科学（10%）の順で芸術は5%以下であり，日本とは際だって異なる分布になっている。ちなみに中国（44,490名）からの留学生も工学専攻が約半数を占めている（**図1**参照）[15]。他方でドイツへの留学生数について，トップの中国から始

(15) Statistisches Bundesamt, *Bildung und Kultur. Studierende an Hochschulen. Wintersemester 2019/2020*, 2020, https://www.destatis.de/DE/Themen/Gesellschaft-Umwelt/Bildung-Forschung-Kultur/Hochschulen/Publikationen/Downloads-Hochschulen/studierende-hochschulen-endg-2110410207004.pdf?__blob=publicationFile, S. 392-402 のデータをもとに計算し四捨五入してまとめた数値である。

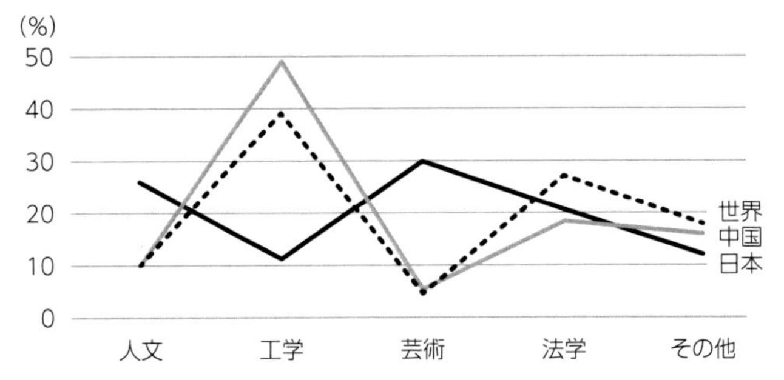

図1　日本・世界・中国からドイツに留学した学生の専攻分布割合（2019）

まってトルコ，インド，シリア，イタリア，オーストリアと続くリストを上からたどっていくと，日本は上位30位にも入らない(16)。国際化が進む世界の中で日独の学生交流がこれほどマイナーにとどまっているのは，単に日本の学生が閉ざされた日本社会で充足してしまっているからだけでなく，理工系分野における日独の没交渉状態が教育現場で再生産され続けているせいではないかとも思われる。むろん工学系は一般に開発途上国からの留学生が多い分野であるが，フランス・イタリアからのドイツ留学生でも工学系は2割を超えており，最先端の工学研究において日独の研究者が没交渉だとしたらむしろ不自然である。小林亜未氏の講演では，デュッセルドルフ大学の日本研究（modernes Japan）における，伝統的日本学とは一線を画した「身近な問題をより多角的に理解する」コンセプトが紹介された。日本におけるドイツ研究においても，これまで日本がドイツに期待してきた学術交流のありかた自身を再検討すべき時期に来ているのかもしれない。蓄積されてきたドイツ研究の知見を広く理工系研究者にも共有してもらい，日独の学際対話の輪を積極的に広げてゆくことができるならば，今後のドイツ研究の社会貢献の幅もさらに広がるのではないかと思われるのである。

（16）Ibid., S. 51-56.

公募論文

ドイツ国家国民党における国家改革論

高岡慎太郎

Die Reichsreformprogramme der Deutschnationalen Volkspartei

Shintaro Takaoka

1 はじめに

第一次世界大戦後のドイツにおいて現出したヴァイマル共和国下にあって，ナチ党が台頭を示すに至るまで，最大の右派政党の地位を保持したドイツ国家国民党（Deutschnationale Volkspartei）は，共和国体制に対する否定的態度の文脈において語られることが少なくない。広範な対象に分析を加えたヴァイマル期の反民主主義思想についてのK・ゾントハイマーやG・モッセの研究においても，ドイツ国家国民党は，ナチ党と同様に，反ヴァイマル・反議会制民主主義政党の代表格として扱われている[(1)]。

一方では，これらの研究においては，ドイツ国家国民党の具体的なヴァイマル共和国体制下における国家改革論については俎上にのせられることがなかった。これは，同党のヴァイマル議会主義への反対が，同党のヒトラー（A. Hitler）政権への参画に至るナチ党に対する寛容的政策に結実したという点に，関心の軸が置かれたためと言えよう。

このドイツ国家国民党の国家改革論をめぐる問題については，同党を扱った他の研究においても，十分に論及されつくされたとは言い難い部分がある。すなわち，同党がヴァイマル体制への代替案として議会主義を相対化した新たな国家体制の構築を志向したことは明らかにされてはきたものの，論の具体性やそれが提唱された時期，論の担い手としての対象において空白を残していると言える。

たとえば，同党の思想および政治的動向を概観するA・ティーメの研究では，ドイツ国家国民党の指導層の思想が君主制理念，垂直的秩序といった価値観を基調とするものであり，かかる理念がヴァイマル共和国の理念と齟齬をきたすものであったことは論じられるものの，同党の具体的な国家改革論への眼差しは希薄である[(2)]。また，ドイツ国家国民党のヴァイマル憲法の起草過程への参与を考察したC・F・トリッペの研究は，普通選挙制に依拠しない議会の設置や，議会から自立した大統領制の強化への同党の要求などを論及した点において貴重な価値を有するものであるが，憲法制定後の時期の考察は，基本的に考察の射程外にある[(3)]。

ヴァイマル共和国初期のドイツ国家国民党の政治的動向に光を当てたW・リーベ[(4)]，L・ヘルツマン[(5)]，ヴァイマル期初期から同党が政権への一時的な参画を果たしたいわゆる「相対的安定期」の時期までに焦点を置いたM・オーネツァイト[(6)]，ドイツ国家国民党の結党初期から1928年のフーゲンベルク（A. Hugenberg）の党首就任と，1930年における党の分裂に至る過程に分析を加えたL・E・ジョーンズ[(7)]，ヴァイマル共和国末期からドイツ国家国民党の解

（1）K・ゾントハイマー（河島幸夫／脇圭平訳）『ワイマール共和国の政治思想――ドイツ・ナショナリズムの反民主主義思想』（ミネルヴァ書房，1976年）；ジョージ・L・モッセ（植村和秀／大川清丈／城達也／野村耕一訳）『フェルキッシュ革命――ドイツ民族主義から反ユダヤ主義へ』（柏書房，1998年）。

（2）Annelise Thimme, *Flucht in den Mythos. Die Deutschnationale Volkspartei und die Niederlage von 1918*, Göttingen, 1969.

（3）Christian F. Trippe, *Konservative Verfassungspolitik 1918-1923. Die DNVP als Opposition in Reich und Ländern*, Düsseldorf, 1995.

（4）Werner Liebe, *Die Deutschnationale Volkspartei 1918-1924*, Düsseldorf, 1956.

（5）Lewis Hertzman, *DNVP: Right-Wing Opposition in the Weimar Republic, 1918-1924*, Lincoln, 1963.

（6）Maik Ohnezeit, *Zwischen »schärfster Opposition« und dem »Willen zur Macht«. Die Deutschnationale Volkspartei (DNVP) in der Weimarer Republik 1918-1928*, Düsseldorf, 2011.

（7）Larry Eugene Jones, *The German Right, 1918-1930: Political Parties, Organized Interests, and Patriotic Associations in the Struggle against Weimar Democracy*, Cambridge, 2020.

党に至る過程に光を当てたF・ゲルトリンゲン(8)の研究にあっても，同党の国家改革論に対する言及は多くはない。国内では，木村靖二氏が，革命前後からヴァイマル末期に至る時間軸の中で，同党の政治的動向を複層的な党内の勢力の角逐を含んだものとして叙述しつつ，その指導層の主要な政治的目標を，社会民主党および同党の支配するプロイセン政府の除去，議会主義の克服と権威主義的体制の樹立と規定している(9)。

また，個別の人物に対象を限定した研究においては，フーゲンベルクを扱った木村氏の研究では，そのライヒとプロイセンの統合への支持や社会主義への批判などへの言及が行われている(10)。共和国中期に同党党首を務めたヴェスタルプ（K. v. Westarp）に関するD・ガスタイガーの伝記的研究においては，ヴェスタルプにおける皇帝を頂点とした垂直的・保守的な国家体制への志向や，普通選挙にもとづく議会制への理念的反発が記される(11)。だが，これらの研究では，考察の中心は対象たるフーゲンベルクやヴェスタルプに置かれ，党内の他勢力を含んだ国家改革論にはほぼ目が向けられてはいない。

ドイツ国家国民党を直接扱うことのない研究にあっては，ヴァイマル共和国末期についての標準的な政治史叙述たるK・D・ブラッハーの著作において，同党の国家改革論には目が向けられてはいるものの，概説的著作であることもあり，その企図が大統領の権限強化や議会主義の抑制などにあったことの確認がなされる他，詳細な論及はない(12)。

ブラッハーはまた，ヴァイマル末期のパーペン（F. v. Papen）内閣においてドイツ国家国民党から入閣し，内相を務めたガイル（W. v. Gayl）の憲法改正論についても触れているが(13)，このガイルによる国家改革論は，いくつかの先行研究も扱っており，研究上の蓄積が存在する(14)。これらの研究では，ガイルの憲法改革論が，ライヒ議会とは異なる第一院の創設などを企図したものであり，それがパーペンおよびそれと近い位置にあった保守的知識人の思想とも重なるものであったことが指摘される。ただし，ガイルを除いたドイツ国家国民党の国家改革輪は概して考察の対象外に置かれているため，この点において補完が必要であろう。すなわち，かかるガイルの国家改革論は，同党のそれと如何なる程度交叉し，重なり合うものであったかが分析に付されねばならない。

確かに，ドイツ国家国民党のヴァイマル議会制への半ば絶対的な否認姿勢そのものは否定しえないものであろう。一方では，国家改革についての議論は，ヴァイマル期において党派をこえ広範になされたものであった。ブラッハーがいみじくも指摘するように，「ライヒの改革への呼びかけは，共和国の歴史全体を支配した」ものであり，政治的党派を貫通しなされたものであったのである(15)。

同時代の保守層の国家改革論に目を向けても，先行研究においては，それらは概して議会主義を克服し，政党政治により分裂した国家の再構築を企図するものであったとされる。ただし，かかる国家改革論が直ちに議会制の否定そのものと結びつくことはなく，それは普通選挙制に依拠しない上院（第一院）の創設などを通じ，大衆政治の打破による国家体制の再編成を狙ったものであったと指摘される(16)。このような思想的・政治的潮流の中にドイツ国家国民党の国家改革論を位置づけることが，本稿の目的である。

なお，本稿においては，主なドイツ国家国民党の指導層による国家改革論に焦点を置き，時期としても限定的となるため，包括的な考察ではないことを断っておきたい。し

（8）F. Hiller von Gaertringen, Die Deutschnationale Volkspartei, in: Erich Matthias / Rudolf Morsey（Hrsg.）, *Das Ende der Parteien 1933. Darstellungen und Dokumente*, Düsseldorf, 1979, S. 541-652.

（9）木村靖二「ドイツ国家国民党―― 1918−1920年」『史学雑誌』77巻2号（1968年），1−44頁；同「ヴァイマル共和国におけるドイツ保守派の解体」『社会科学研究』27巻2号（1975年），1−24頁。

（10）木村靖二「アルフレート・フーゲンベルクの思想と政治」柴田三千雄／成瀬治編『近代史における政治と思想』（山川出版社，1977年），462−480頁。

（11）Daniela Gasteiger, *Kuno von Westarp (1864-1945). Parlamentarismus, Monarchismus und Herrschaftsutopien im deutschen Konservatismus*, Berlin, 2018.

（12）Karl Dietrich Bracher, *Die Auflösung der Weimarer Republik. Eine Studie zum Problem des Machtverfalls in der Demokratie*, 5. Auflage, Villingen, 1971, S. 499-501. たとえば，ブラッハーは，ドイツ国家国民党が「議会主義」を「指導者原理」により克服することを試み，その一環として大統領権限の強化を企図したと述べるが，詳細な論及は行っていない。Ebenda, S. 500.

（13）Ebenda, S. 471-479.

（14）Joachim H. Knoll, Der autoritäre Staat. Konservative Ideologie und Staatstheorie am Ende der Weimarer Republik, in: Hans-Gerd Schumann（Hrsg.）, *Konservativismus*, 2., erweiterte Auflage, Königstein, 1984, S. 229-239; Ernst Rudolf Huber, *Deutsche Verfassungsgeschichte seit 1789*, Bd. 7, Stuttgart, 1984, S. 1058-1059; 小野清美『保守革命とナチズム―― E・J・ユングの思想とワイマル末期の政治』（名古屋大学出版会，2004年）；E・コルプ／W・ピタ「パーペン，シュライヒャー両内閣における国家非常事態計画」『思想』959号（2004年），30−61頁。

（15）Bracher, *Auflösung*, S. 492.

（16）Knoll, Der autoritäre Staat, S. 224-243; Yuji Ishida, *Jungkonservative in der Weimarer Republik. Der Ring-Kreis 1928-1933*, Frankfurt am Main, 1988; 石田勇治「ヴァイマル末期の青年保守派――その思想と行動をめぐって」『西洋史学』141号（1986年），36−52頁。

たがって，党全体の方向性を正確に捉えられているわけではないが，一個の統一的な像を描くことが試みられる。

2 ヴァイマル憲法制定とドイツ国家国民党

第一に，革命後からヴァイマル憲法制定に至るドイツ国家国民党の国家改革論に言及しておくこととしよう。

ドイツ保守党・自由保守党・キリスト教社会派・ドイツ民族党といった帝政期の保守系・民族系政党による合同政党であったドイツ国家国民党は，1918年11月24日の結党宣言において，「われわれにとって尊く貴重なものの多くが破壊された」と訴え，第二帝政への深甚な憧憬を露わにした。一方で，宣言においては党が「如何なる国体の基盤にあっても協働を行うこと」への用意を有することも述べられており，まったく新体制下への適応が拒絶されたわけではなかった。したがって，同党は，「直近の事象ののちでは唯一可能である議会制政体」の承認を行い，当面は議会制を前提とした政治活動を容認することを明らかなものとした[17]。翌12月27日に公表された憲法制定国民議会へ向けた布告にあっても，共和制への反発は観察されるものの，議会政治そのものへの表立った批判は欠落を見せている[18]。

したがって，ドイツ国家国民党は，消極的な形にせよ，議会制民主主義を容認するに至ったと言えよう。しかしながら，普通選挙に依拠した議会制への思想的距離は，すでにヴァイマルにおいて1919年2月より開かれた憲法制定国民議会において露わなものとなった。

この憲法制定国民議会は，1919年7月31日に新憲法を可決するが，前日には，ドイツ国家国民党からはデュリンガー（A. Düringer）[19]が，党を代表する形で新憲法への反対演説を行っている。このデュリンガーは，元プロイセン政府閣僚デルブリュック（C. v. Delbrück）[20]とならび，ドイツ国家国民党を代表して憲法起草委員会に参加した人物であり，憲法制定において同党の立場を実質的に代弁する立場にあったとも言える[21]。

演説において，デュリンガーは，憲法を否定する立場を露わにしたが，その理由は，憲法の共和制的性格にとどまるものではなく，憲法がまた「強力な中央権力」を欠くことにもあると訴えかけた。すなわち，憲法草案においては，「統治の重心」は大統領あるいは政府には存在せず，「政党」の側に位置すると論じたのである。具体的には，政府の任命において，大統領が国会の構成を顧慮する必要を生ぜしめる憲法上の特質が俎上にのせられている[22]。このように，政党政治に対する鋭い拒絶反応を示したデュリンガーは，「間断なき政治闘争」にも憂慮を示し，「それらはわが民族を攪乱し害するのである」とまで訴えている[23]。

こうした不安定な議会政治への懸念は，憲法の議会における審議過程において，ドイツ国家国民党議員のオーバーフォーレン（E. Oberfohren）によっても示されたものであった。オーバーフォーレンは，長期にわたる議会の任期が国民からの議会の乖離を齎すという主張に対し，頻繁に改選される議会は安定的な議会政治を不可能にするという立場から反駁した。フランスやイギリスといった他のヨーロッパ諸国における国会の任期にも言及した上で，オーバーフォーレンは，5年ごとの国会改選を党の案として提示した。加えて，オーバーフォーレンが危惧を示したことは，比例代表制が導入される新憲法下の体制においては，「政党組織」の重要性が増加し，選挙は活発な政党活動に特徴づけられるアメリカ型の様相に近接しかねないということであった。革命以後の選挙の様態は，「脱倫理的影響」を国民におよぼすものであるとオーバーフォーレンは断じたのである[24]。

これらの言説を通して見ることができるものは，ドイツ国家国民党における大衆政治への距離感である。結党直後に形成を見た執行部においても，その過半数が官僚層および大学教授により占められた事実が物語るように[25]，同党における教養と専門知を背景とする社会的支配層の優位

(17) Aufruf der Deutschnationalen Volkspartei, in: *Neue Preußische [Kreuz-] Zeitung*, Nr. 599 v. 24.11.1918, abgedruckt bei Liebe, *Deutschnationale Volkspartei*, S. 107-108.

(18) Aufruf des Vorstandes der Deutschnationalen Volkspartei vom 27. Dezember 1918, abgedruckt bei ebenda, S. 109-112.

(19) デュリンガーは，革命以前には特定の政党に属することはなく，大戦期にはバーデンの政府において官職の地位にあった。1919年初頭，バーデンにおけるドイツ国家国民党の結党者の1人となるが，1922年7月にドイツ国家国民党を脱党し，ドイツ国民党へ移行した。Vgl. Trippe, *Konservative Verfassungspolitik*, S. 209.

(20) デルブリュックの経歴については，Ebenda, S. 208.

(21) 木村「ドイツ国家国民党」，19頁。以下も参照のこと。Trippe, *Konservative Verfassungspolitik*, S. 69.

(22) *Verhandlungen der verfassunggebenden Deutschen Nationalversammlung*, Bd. 328, Berlin, 1920, S. 2089.

(23) *Verhandlungen der verfassunggebenden Deutschen Nationalversammlung*, Bd. 328, Berlin, 1920, S. 2089.

(24) *Verhandlungen der verfassunggebenden Deutschen Nationalversammlung*, Bd. 327, Berlin, 1920, S. 1270f. 1919年7月3日の演説。オーバーフォーレンは，ドイツ国家国民党議員として，憲法制定国民議会以降，ヴァイマル期からヒトラー政権成立時まで一貫して議員を務め，ヒトラー政権下においては，ドイツ国家国民党国会議員団長を務めた。Vgl. *Reichstags-Handbuch. VIII. Wahlperiode 1933*, Berlin, 1933, S. 215; Hermann Beck, *The Fateful Alliance. German Conservatives and Nazis in 1933. The Machtergreifung in a New Light*, New York, 2010, p. 226.

(25) Max Weiß (Hrsg.), *Der nationale Wille. Werden und Wirken der Deutschnationalen Volkspartei 1918-1928*, Essen, 1928, S. 364-365.

性は確固たるものとして存在し，同党の大衆政治への反発もまた，こうした要因に根差すものと見て良いだろう。

3 ヴァイマル共和国初期から中期におけるドイツ国家国民党の政治姿勢

ヴァイマル憲法が可決を見た翌年の1920年10月，ハノーファーにて開かれた党大会において，ドイツ国家国民党は綱領を採択することとなった(26)。この綱領の眼目は多岐にわたるが，特に本稿に関係する事項としては，職能制議会にかかわる部分がとりわけ重要である。同綱領においては，「両性の普通・平等・直接・秘密選挙により成立した国民の代表」が，「立法」および「行政」において「協働」および「監督」の機能を果たすべきことが記された一方，「経済的・精神的労働」の「職業」を基礎とする職能単位に分割された構成に依拠した代表による機関の設置も要求されている(27)。

このような，普通選挙にもとづかない議会の設置という構想は，第二帝政期においてすでに一部勢力より唱えられていたものであった。第一次大戦直前の1913年には，農業界，重工業界における代表団体たる農業者同盟（Bund der Landwirte），ドイツ工業家中央連盟（Zentralverband Deutscher Industrieller），ライヒドイツ中間層連盟（Reichsdeutscher Mittelstandsverband）を中核として「生産者諸身分のカルテル（Kartell der schaffenden Stände）」が結成されたが(28)，この中にあっては，普通選挙制により選出されるライヒ議会の権能を抑制する議会の創設が活発に議論されたのである。

たとえば，ドイツ工業家中央連盟のシュレンカー（M. Schlenker）は，普通選挙制が招く大衆支配への対抗策として，第一院としてのライヒ上院を設置することを提唱し，これは農業者同盟やライヒドイツ中間層連盟に加え，ドイツ工業家中央連盟に属するフーゲンベルクらからも肯定的な評価を受けた(29)。

農業者同盟の第二代表を務めたロエジケ（G. Roesicke）は，戦前期にはドイツ国家国民党の母体を形成したドイツ保守党の国会議員の座にあり，戦後はドイツ国家国民党の議員として憲法制定国民議会において当選を果たした。この農業者同盟は，1921年には他の農業組織との合同により全国農村同盟（Reichs-Landbund）へと発展したが，その指導部にはロエジケが引き続き加わった(30)。また，ドイツ工業家中央連盟には指導部の一員としてフーゲンベルクが名を連ねていた(31)。こうした所にも，第一院設置構想をめぐるドイツ国家国民党の戦前期よりの連続性が現れていると見ることができよう。

なお，職能制議会制の設置自体は，ヴァイマル期において経済界などから主張されたものであり，それは階級的相克の解消，経済問題に関する国家干渉の制限および普通選挙制に依拠した議会権力の制限を企図したものであったと総括される(32)。ヴァイマル期の実際の政治機構としては，職能制議会制は憲法にもとづき設置された暫定全国経済協議会（Vorläufiger Reichswirtschaftsrat）において部分的な実現を見た。この暫定全国経済協議会は生産部門の代表に加え，官吏・自由業の代表や参議院および政府の任命による代表などの非生産部門から構成され，その業務は，社会・経済上の法案の諮問および答申，法案の提出，などと規定された(33)。ドイツ国家国民党における職能制議会制構想は，こうした現実の職能制議会の暫定性を克服し，同時に普通選挙による国会の重要性を軽減せしめるため，国会とは異なる議会を創出することを企図したものと位置づけられよう。

だが，ヴァイマル初期には，共和国体制を原則として肯定する社会民主党・中央党・ドイツ民主党によるいわゆる「ヴァイマル連合」政権の成立過程において，ドイツ国家国民党は政治的に局外に置かれた。1920年6月に成立した中央党のフェーレンバハ（K. Fehrenbach）内閣は，社会

(26) Wolfgang Ruge, Deutschnationale Volkspartei（DNVP）1918-1933, in: Dieter Fricke（Hrsg.）, *Lexikon zur Parteiengeschichte. Die bürgerlichen und kleinbürgerlichen Parteien und Verbände in Deutschland (1789-1945)*, Bd. 2, Leipzig, 1984, S. 477, 497.

(27) Grundsätze der Deutschnationalen Volkspartei, abgedruckt bei Weiß（Hrsg.）, *Der nationale Wille*, S. 391-400, hier S. 393-394.

(28) 飯田芳弘『指導者なきドイツ帝国――ヴィルヘルム期ライヒ政治の変容と隘路』（東京大学出版会，1999年），273－275頁。

(29) 飯田，前掲書，276－277頁；Dirk Stegmann, *Die Erben Bismarcks. Parteien und Verbände in der Spätphase des Wilhelminischen Deutschlands. Sammlungspolitik 1897-1918*, Köln, 1970, S. 372-373.

(30) Trippe, *Konservative Verfassungspolitik*, S. 33, Anm. 49; Jochen Černý, Reichs-Landbund（RLB）1921-1933, in: Dieter Fricke（Hrsg.）, *Die bürgerlichen Parteien in Deutschland. Handbuch der Geschichte der bürgerlichen Parteien und anderer bürgerlicher Interessenorganisationen vom Vormärz bis zum Jahre 1945*, Bd. 2, Berlin（West）, 1974, S. 521-540.

(31) Helga Nussbaum, Zentralverband Deutscher Industrieller（ZDI）1876-1919, in: Fricke（Hrsg.）, *Die bürgerlichen Parteien in Deutschland*, Bd. 2, S. 850-871.

(32) Heinrich August Winkler, Unternehmerverbände zwischen Ständeideologie und Nationalsozialismus, *Vierteljahrshefte für Zeitgeschichte*, Jg. 17, Heft 4, 1969, S. 341-371; 栗原優『ナチズム体制の成立――ワイマル共和国の崩壊と経済界』（ミネルヴァ書房，1997年），398－400頁。

(33) 臼井英之「全国経済協議会をめぐる政策構想と『暫定全国経済協議会令』――第一次大戦後ドイツにおける暫定全国経済協議会の成立」『成城大學經濟研究』108号（1990年），67－111頁；Ch・グズィ（原田武夫訳）『ヴァイマール憲法――全体像と現実』（風行社，2002年），317－320頁。

民主党を排除した点において，やや従来の内閣と趣を異にしたものの，これはドイツ国家国民党の入閣を招くには至らなかった。ただし，内閣成立直後の国会演説において，党首ヘルクトは社会民主党との連立を容認する演説を行う予定ではあったが，ヴェスタルプら党内の一派はこれを阻止し，ヘルクトがこの声明を行った場合，分離した党議員会派を作る計画があることを主張し，最終的にヘルクトはかかる声明の公表を取りやめることとなったように，ドイツ国家国民党内のヴァイマル共和国体制への立場も一様ではなかった(34)。

ただし，かかる立場には，1922年のクーノ（W. Cuno）内閣の成立にともない部分的な変化が生じた。内閣成立直後の11月24日の国会において，党首のヘルクト（O. Hergt）は政権が社会民主党から独立してなされたことを政治的な「前進」と称した。また，外相など一部の閣僚は宰相と同様，政党に属すことのない人物で占められたことが，政府の構成が「政党の直接的な影響」より一定程度離れて行われたことを示すものとして，肯定的に論じられている(35)。

だが，同内閣とドイツ国家国民党が直接のかかわりを持つことはなく，続くドイツ民主党から社会民主党に至る第一次・第二次シュトレーゼマン（G. Stresemann）内閣および1923年11月に誕生した第一次マルクス（W. Marx）内閣期においても，元党員のカーニッツ（G. v. Kanitz）がともに農相・食糧相として加わった他，実質的な関係は持つことはなかった(36)。

このマルクス内閣下で行われた1924年5月の国会選挙においては，ドイツ国家国民党は，約20%の得票率を達成し，社会民主党に次ぐ第二党の座に上りつめた。だが，選挙後において行われた同党と他党との連立交渉は，ドイツ国家国民党が社会民主党のブラウン（O. Braun）が首班を務めるプロイセン政府における社会民主党の排除を要求したため，頓挫することとなった(37)。6月3日に中央党・ドイツ国民党・ドイツ民主党に支えられた第二次マルクス内閣が成立した2日後の国会においてヴェスタルプは社会民主党に対し激しい糾弾を行い，「社会民主党を欠くか，敵に回してはドイツにおいては統治が不可能である」という見解を否定した(38)。

だが，社会民主党との連立を拒絶するドイツ国家国民党の立場は，同党の企図する憲法改正への道を阻害するものでもあったと言えよう。同年末の国会選挙ののち，安定的政権の基盤を見出しえない宰相マルクスは退陣を余儀なくされ，かわって政党無所属で1923年来蔵相の地位にあったルター（H. Luther）に内閣形成の任が課せられた。最終的に，中央党，ドイツ国家国民党，ドイツ国民党を中核として構成される内閣が成立する運びとなり，ここにドイツ国家国民党は結党以来はじめて野党の立場を放棄するに至ったのである。だが，ドイツ国家国民党の国会議員団長に就任することとなるヴェスタルプが1月20日の国会における演説で認めたように，国会において社会民主党と共産党が改憲を阻止するに足る3分の1の議席を占める状況下にあっては，右派勢力の望む形での憲法改正が困難であることも事実であった(39)。

実際に，1925年4月の大統領ヒンデンブルク（P. v. Hindenburg）の選出にもかかわらず，ドイツ国家国民党は，企図する政体の変革をなしとげられないまま，同年10月にルター政府から離れることとなる。翌1926年5月17日に誕生した第三次マルクス内閣が退陣したのち，1927年1月29日に成立した第四次マルクス内閣には，ドイツ国家国民党より副宰相，内相，法相などが入閣した。この二度目の政権参画にあたり，新政権発足直後の2月3日，当時党首であったヴェスタルプは，党の「綱領的目的」への「基本的立場」を放棄する意図はないと述べている(40)。

だが，同政権下にあっても，ドイツ国家国民党により提唱された議会制改革など国政上の主要な改革はなしとげられることはなく，翌年の国会選挙を迎えることとなった。

4 ヴァイマル後期におけるドイツ国家国民党の国家改革論

1928年5月20日の国会選挙では，ドイツ国家国民党は議席数を103から73へと大きく減少させた。ヴェスタルプは1928年10月に，党大会の選挙において党首をフーゲンベルクに譲ったのち，1929年11月から翌年にかけては，党内の反対派の抑制を図るフーゲンブルクに対し，ヴェスタルプら党内の穏健派は離脱を決定し，ドイツ国家国民党は急激な勢力の縮減に直面した。これは，実際的な改革構想におけるドイツ国家国民党の政治的推進力を毀損せしめ

(34) Jones, *The German Right*, pp. 115-116.
(35) *Verhandlungen des Reichstags. I. Wahlperiode 1920*, Bd. 357, Berlin, 1923, S. 9120.
(36) カーニッツは，第二次シュトレーゼマン内閣に加わるとともに，ドイツ国家国民党より離脱した。Ohnezeit, *Opposition*, S. 242, Anm. 339. また，彼は党内の最右翼を切り捨て，ドイツ国民党と提携することを元来主張していた。以下を参照。木村「ドイツ国家国民党」，168頁。
(37) Michael Stürmer, *Koalition und Opposition in der Weimarer Republik 1924-1928*, Düsseldorf, 1967, S. 44-46.
(38) *Verhandlungen des Reichstags. II. Wahlperiode 1924*, Bd. 381, Berlin, 1924, S. 112.
(39) *Verhandlungen des Reichstags. III. Wahlperiode 1924*, Bd. 384, Berlin, 1925, S. 118.
(40) *Verhandlungen des Reichstags. III. Wahlperiode* 1924, Bd. 391, Berlin, 1927, S. 8804.

るものであったと言えよう。それにより，国会における勢力を利用し，ドイツ国家国民党が国政改革を実行することは，より一層困難なものとせしめられたのである。

だが，ここでは，まず，1928年5月の国会選挙前の時期にまでさかのぼり，それ以後に至るドイツ国家国民党の国家改革構想に目を向けることとする。

1928年5月の国会選挙を前に，同月1日にドイツ国家国民党が機関紙において公表した論説に目を向けると，そこにおいては，ヴァイマル期の統治体制への強い懐疑が見て取れる一方，一定程度漸進的な改革により事態の打開を図る向きも看取される。まず議会制に関しては，「すべての実質的な権力」が国会に付与された現状が槍玉に挙げられ，「議会の絶対主義は政党の単独支配を意味する」ものであると綴られた。かかる議会主義の過剰は「指導の不足」などの事態を招来したと糾弾された。かかる危機的な状態を克服するためには，政府が議会の信任を必要としない体制構築が課題とされ，議会の不信任決議により宰相・閣僚が退任する必要を定めた憲法54条の削除が唱えられたのである。また，ライヒとプロイセンの長が一致する必要も説かれ，ライヒとプロイセンの政治的結合が理想とされている[(41)]。

こうした議会制論は，国会選挙後に刊行された党の指導的立場にある人間による諸論説が収載された著作において，党議員のフライターク＝ローリングホーフェン（A. v. Freytagh-Loringhoven）によりその論拠の一部が示されている[(42)]。フライタークは，法学教授として，とりわけ国政論に精通した人物であり，同著作にあっても憲法問題を論じる役割を付与されたのである。

ヴァイマル憲法と戦前期の憲法を鋭く対比させるフライタークは，第二帝政期にあっては，普通選挙制に依拠した帝国議会に，諸邦国の代表からなる連邦参議院が並立するとともに，議会から自立した政府が安定的な政治を行い，国政上の調和を産出したと論じる。また，ライヒの連邦主義的性格については，「統一主義的・連邦主義的原則」が第二帝政期にあっては調和的に存在したと訴えられ，その適度な諸邦国間の独自性とプロイセンの特権的地位が称賛の対象となった。第二帝政期のドイツが，国家的統合と政治的安定，議会主義の制限という課題を克服したことが肯定的に把握されたのである。一方，ヴァイマル憲法は，「極度の議会主義」や，連邦主義の軽視という欠陥を持つこととなったと指摘され，結果として，ライヒ政府とプロイセン政府の「結合」が否定せしめられることとなったと指弾された[(43)]。

具体的な改革の一つとして，フライタークは，憲法54条の削除を要求し，政府の議会からの自立を主張する。一方では，国会から不信任案議決権を剥奪することが政府による権能の「悪用」に繋がりかねないといった批判に対しては，国会の多数派が政府の法案を拒絶することで，政府が退陣を余儀なくされるという構想を提示する[(44)]。かかる構想は，戦後のボン基本法において定められたいわゆる「建設的不信任投票」とは質的に相違するものではあるにせよ，一定程度の政府権力への歯止めの必要をドイツ国家国民党の指導層が認識していたことの現れと言える。

ここでふたたび中央政界に話を戻すと，国会選挙後，6月に成立した社会民主党のミュラー（H. Müller）を首班とする内閣にもドイツ国家国民党は参加することはなく，野党の立場に復したものの，国家改革論そのものは継続して政治的課題として提示を行った。

国会においては，前党首ヘルクトにより，1928年11月27日の国会において，議会制構想が議論に付されている。ヘルクトは，戦前期にはプロイセン蔵相に上りつめた高級官僚として，ドイツ国家国民党の党首に就任するまで，元来政党政治との距離を保持した人物であった。こうした立場からも，ヘルクトはヴァイマル共和国の体制を「絶対的議会主義」ないしは「議会の全能」に特徴づけられると主張し，かかる統治体系が齎す不可避的な帰結に対し警鐘を鳴らした。すなわち，「大衆的心理状態」に左右される議会の信任を勝ちえない政府は，議会からの不信任案可決により，政治的基盤を喪失することを余儀なくされるとヘルクトは訴えたのである。したがって，かかる議会主義を克服する方策として，現行の議会に対し「独立し自立した人格の導入による対抗的重し」を加える必要があるとヘルクトは論じた[(45)]。

こうした必要を満たす政治機構としてヘルクトにおいて把握されたものが，農業や商業といった職能「身分」の単位を基礎として議会を構成する職能制議会であった。

ヘルクトは，かかる思想は「保守的な職能身分的思想」にもとづくものであるとした[(46)]。職能身分の具体的な担

（41）*Unsere Partei*, Jg. 6, Heft 10, 1928, S. 151.

（42）フライタークは，1878年に生を享け，1918年よりブレスラウ大学教授を務めた。1924年5月にドイツ国家国民党の国会議員としてはじめて選出され，以後1933年3月の国会選挙に至るまで同党議員として選出された。*Reichstags-Handbuch. VIII. Wahlperiode 1933*, Berlin, 1933, S. 133.

（43）Dr. Freiherr von Freytagh-Loringhoven, Verfassungsfragen, in: Weiß（Hrsg.）, *Der nationale Wille*, S. 143-145.

（44）Ebenda, S. 151.

（45）*Verhandlungen des Reichstags. IV. Wahlperiode 1928*, Bd. 423, Berlin, 1929, S. 492-494.

（46）*Verhandlungen des Reichstags. IV. Wahlperiode 1928*, Bd. 423, Berlin, 1929, S. 492.

い手としては，農業・工業・商業といった一般的な意味での産業部門の労使双方の代表の他，「精神的生産」に従事する階層もまた挙げられることとなった。戦前期の地方政府の上院において大学や教会の代表者が一定の地位を保持したことをヘルクトは強調し，同様に，議会が「精神的に生命力を持った諸力」によっても担われるべきことを論じている(47)。したがって，こうした勢力が今後の議会制においてふたたび強力な影響力を行使することで，大衆的民主主義への防壁として機能することが期待されていると言えよう。

この国家改革論において，ドイツ国家国民党においてとりわけ積極的な活動をなした人物が，同党議員のエヴェリング（F. Everling）であった(48)。以下では彼の著作における主張などを手がかりに，その論を再構築することとしよう。

まず，1928年に刊行された彼の『ライヒの破壊かライヒの改革か？』と題された著作から見ていくこととしよう(49)。この本は，1928年1月に誕生した「ライヒ刷新同盟（Bund zur Erneuerung des Reiches）」の企図する国家改革論への反論を意図して著されたものであった。同同盟は，初代代表として元宰相のルターが就任し，「ルター同盟」とも称されたこの同盟には，のちの西ドイツ首相アデナウアー（K. Adenauer）ら自治体首長，A・ヴェーバー（A. Weber）などの学者に加え，クルップ（G. Krupp v. Bohlen u. Halbach）やテュッセン（F. Thyssen）ら工業界の代表らが参加し，ドイツ国家国民党から社会民主党までの諸政党の代表を包括した組織であった。同盟はライヒとプロイセンにおける二元構造の打破を主張し，ドイツ国家国民党の主張とも通底する論を訴えていた。だが，この同盟の活動に並行し，各地方自治体の代表により同年1月中旬に開かれた「諸ラント会議」においては，ドイツ国家国民党員かつヴュルテンベルク首相であったバツィレ（W. Bazille）およびバイエルン国民党のバイエルン首相ヘルト（H. Held）は，地方分権的要素をともなう単一国家への志向を覗かせるプロイセン首相のブラウンらに対抗し，ビスマルク型の連邦国家の復活を主張するなど，諸政党間のライヒ改革への姿勢の隔たりは露わにされていたのである(50)。

すでにドイツ国家国民党は1927年12月9日の党会議において，単一国家を拒絶する旨を決議において明らかなものとしていた。単一国家への動きは，「プロイセンの国家理念」を毀損せしめるものであり，したがって否定されるべきと決議は主張し，プロイセンの独自性を損なう改革への牽制を行っていた(51)。

先の著作において，エヴェリングは「単一主義」は「ライヒの破壊」に等しいものであると糾弾しているが，「単一国家」への反対の主な根拠としてエヴェリングは，それが「伝統」の破壊に帰結すること，「民主的」なドイツの体制を招来せしめること，実情を無視した単一国家の樹立の強行が逆説的に分離主義的傾向を引き寄せかねないこと，の3つを挙げている(52)。

また，1930年7月12日には，国会において暫定的であった全国経済協議会を恒久化することを目的とした法案をめぐり，エヴェリングは国会において党を代表し演説を行っている。エヴェリングは，提出された法案は，ドイツ国家国民党が志向するライヒ議会に並立する第一院の設立に結びつくものではないとし，党が法案に反対することを表明した(53)。

翌年の1931年に出版された著作においてエヴェリングは，「真のライヒ改革」は「議会制の除去」を必要とするものであると綴り，現在の「議会主義」にかわって「新たな身分制」が，「政党的分節」にかわり「身分的分節」がとってかわらねばならないと主張している。エヴェリングにおいては，職能制議会は，全国的な「ライヒ身分議会」をその頂点とするものとして構想されたのである。この職能制議会においては政党は排除されることが主張されている。このライヒ身分議会の選出方法については，地域ごとの身分代表から州（ないしは邦）の身分代表議会が選出され，さらにこれからライヒ身分議会議員が選ばれるものとされた(54)。

加えて，エヴェリングにあって，職能制議会の設置とな

(47) *Verhandlungen des Reichstags. IV. Wahlperiode 1928*, Bd. 423, Berlin, 1929, S. 492-493.

(48) エヴェリングは，1919年，ヴァイマル憲法への忠誠の宣誓を拒絶したため官職を辞した。また，彼は1924年5月に選挙が行われた国会より1933年3月に開かれた国会までドイツ国家国民党議員を務めた。*Reichstags-Handbuch. VIII. Wahlperiode 1933*, Berlin, 1933, S. 126.

(49) Friedrich Everling, *Reichszerstörung oder Reichsreform? Zugleich eine Auseinandersetzung mit den Plänen des „Bundes zur Erneuerung des Reiches“*, Berlin, 1928.

(50) Gerhard Schulz, *Zwischen Demokratie und Diktatur. Verfassungspolitik und Reichsreform in der Weimarer Republik*, Bd 1, Berlin, 1963, S. 590-594; Huber, *Deutsche Verfassungsgeschichte seit 1789*, Bd. 7, S. 672-674; Kurt Gossweiler, Bund zur Erneuerung des Reiches (BER) 1928-1933, in: Fricke (Hrsg.), *Lexikon zur Parteiengeschichte*, Bd. 1, 1983, S. 374-382.

(51) Everling, *Reichszerstörung oder Reichsreform?*, S. 31.

(52) Ebenda, S. 3-4.

(53) *Verhandlungen des Reichstags. IV. Wahlperiode 1928*, Bd. 428, Berlin 1930, S. 6328.

(54) Friedrich Everling, *Organischer Aufbau des Dritten Reichs*, München, 1931, S. 33-35, 115-119.

らび必要な措置として認識されたものが，地方政府の代表機関たるライヒ参議院の強化であった。エヴェリングは，ライヒ参議院を旧来の連邦参議院へと戻し，その地位と権限を向上せしめることを訴えた。エヴェリングの構想では，来たるべき「第三帝国」においては，普通選挙に依拠するライヒ議会は事実上解消され，連邦参議院と職能制議会が二院制の議会をなすものとされた。一般的な法律の立法は職能制議会と連邦参議院との協働においてなされるものと規定されている(55)。

1928年10月に党首の座に就いたフーゲンベルクにおける議会構想にも目を向けると，フーゲンベルクにあっても職能制議会構想は抱懐されたものであったが，それが具体的に如何なる形で構想されたかは不明確な部分をともなうものである。

たとえば，フーゲンベルクは，1931年9月になされた党大会での演説で，職能制組織の意義について以下のような見解を提示している。フーゲンベルクは，「職能身分的な構成」は，それが「政治的な意思形成の基盤」と化すことに意義が存するものではない，と断っており，「利益集団の政治への過剰な干渉の影響」に注意を促している。職能制の意味は，むしろ「階級闘争および万人の万人に対する闘争の意識の克服」や，「経済的職能の新たな栄誉ある観念の発達」,「国家的義務の経済的自治への委譲」にあると論ぜられる(56)。したがって，フーゲンベルクが職能制議会の設置を重要な政治課題として見ていたかは，明瞭ではなく，断言することは困難である。ここに，あるいはヘルクトやエヴェリングといった職能制議会の設置へ向けた積極的な意思の表明を行った一部党内指導層との距離を見出すことができると言いうるだろう。

ヴァイマル議会制そのものについては，フーゲンベルクは「わが左派が80年の長きに亘り希求した議会制民主主義体制が，わずか13年間においてかくまで惨めに崩壊した」と綴り，それに対し明瞭に否定的な態度を示した(57)。だが，議会制の崩壊の後に来るべき政体として，フーゲンベルクの構想する政体は，ヒトラー体制との関係に鑑みて，両義的な性格を有するものである。フーゲンベルクは「専制はドイツにおいて数カ月の期間においてのみ可能である」と綴り，長期間の独裁体制の構築には距離を示している(58)。かかる短期的な独裁の容認と，長期的な国家的な安定化の志向が，フーゲンベルクの独裁論の特徴を形づくったと言える。

5 おわりに

以上見たようなドイツ国家国民党の思想的立場は，強力な国家権威を前提としつつ，普通選挙制にもとづく議会制権力を制限することを企図したものであった。こうした政治的改革は，ヴァイマル議会制の空洞化を齎しうるものであり，かかる意味において，ヴァイマル共和国への保守的な代替構想が提示されたと纏めうるだろう。

また，ドイツ国家国民党において主唱された，職能制議会構想や，「人格」の重視といった理念に加え，人的結合を核としたライヒとプロイセンの統合およびプロイセンの意義の重視といった理想は，「青年保守派」と称される同時代の保守派の一派により設立された「ドイツ紳士クラブ（Deutscher Herrenklub）」によっても抱懐されたものである(59)。大衆民主主義への警戒心といった点も含め，両者の共通性は明瞭である。

しかしながら，ドイツ国家国民党の国家改革論は，議会主義が齎す政治的不安定および大衆政治化への不安感に牽引されたものではあったにせよ，それは職能制議会の樹立への支持において明らかなように，議会制の破棄に必ずしも繋がりうるものとは言えず，その意味において，必ずしもナチ体制への直接的な連結を有するものではないと言えよう。かかる両義的な意味において同党の国家改革論を把捉することが，同時代の保守的・右派的な思想潮流とナチスとの思想的関係の理解にもまた資すると言えよう。

先行研究においては，パーペン内閣のドイツ国家国民党の閣僚ガイルらにより構想された国家改革論が，果たして独裁と民主主義の中間の解決に結びつくと捉えられるものであったか否か，といった疑問に対し，明瞭な回答は避ける向きと，それを明瞭に否定する立場が並立せしめられている(60)。

かかる問いはまた，ドイツ国家国民党の国家改革論を俎上にのせた本稿においても必然的に浮かびあがるものである。ここでは，同党による国家改革論が実現可能であった

(55) Ebenda, S. 113-115, 124.
(56) *Hugenbergs innenpolitisches Programm. Rede, gehalten auf dem 10. Reichsparteitag der Deutschnationalen Volkspartei am 20. September 1931 in der Messehalle Stettin*, 5. Auflage, Berlin, o. J., S. 15.
(57) Ebenda, S. 17-18.
(58) Ebenda, S. 19. また，フーゲンベルクは，党首に就任する前年の1927年において，「マルクス主義」により国民が分断された現状にあっては，「実際的な議会政治」はほぼ不可能となっていると語り，少なくとも暫定的には議会主義の放棄をやむをえないものと見なしていた。Alfred Hugenberg, *Streiflichter aus Vergangenheit und Gegenwart*, Berlin, 1927, S. 18.
(59) Ishida, Jungkonservative, S. 92-104; 石田「ヴァイマル末期の青年保守派」，42-48頁。
(60) この問題に対する比較的中立的な立場としては以下を参照。Knoll, Der autoritäre Staat, S. 239. より否定的な見解としては，Bracher, *Auflösung*, S. 479

かという問いは脇に置き，思想的位相においてこれを把握することが優先された。確かに同党の議会制論は，通常の意味における民主主義の枠内をこえていたことは疑いえない。プロイセンと密接に統合されたライヒの権力を背景にし，普通選挙制に左右されない権威主義的国家が，ドイツ国家国民党においては企図されたと言えよう。かかる構想は，エヴェリングの例に顕著に現れているように，場合によっては普通選挙の無効化そのものにまで踏み込んだものであり，したがって，帝政期の保守勢力の一部による国家改革論の延長線上にありつつ，帝政期の保守派においてなお躊躇が見られたビスマルクにより導入された大衆選挙制の否定にまで繋がりうるものであった。しかしながら，独裁を一時的な手段として容認しつつも，同党の国家改革論は決して独裁「自体」を目的としたものではなく，それをナチズムの如き独裁と等号で繋ぐことはできないのであり，同時代の保守的思想の枠内にとどまったものと言えよう。

かかる意味において，ドイツ国家国民党の国家改革論は，ナチスの国家思想と錯綜した関係を持つと言わねばならないと思われるのである。こうした視座からの考察は，先行研究ではその具体性において不十分なところが見られたため，ここにその明瞭化の試みをなしたものである。

論文

代議制民主主義の感性的「技術」
――クリストフ・マルターラー『ゼロ時あるいは奉仕の技術』における潜在的反省の集合体

針貝真理子

Die sinnliche „Kunst“ der repräsentativen Demokratie.
Latente und gemeinsame Selbstreflexion in Christoph Marthalers *Stunde Null oder die Kunst des Servierens*

Mariko Harigai

1 ポストドラマ演劇が提示する歴史

喜劇『ゼロ時あるいは奉仕の技術――指導者たちのための追想トレーニング（*Stunde Null oder die Kunst des Servierens. Ein Gedenktraining für Führungskräfte*）』[1]は，「ポストドラマ」的とされる独自の音楽劇で知られたスイスの演出家，クリストフ・マルターラーの代表作のひとつに数えられているものである。初演は，東西ドイツ統一の祝祭的雰囲気の余韻がまだ残る1995年のハンブルクだった。このタイトルに示されている通り，本作は1945年の敗戦後の時代，「ゼロ時（Stunde Null）」と呼ばれる時代を扱っている。ただし喜劇『ゼロ時』は，「ゼロ時」の歴史をドラマのストーリーに仕立てて提示するという方法を取らない。そこでは，1945年を中心とする敗戦の時，そこへ至るまでの過去の歴史，そして東西ドイツ統一の記憶がまだ生々しく残る上演当時の現在という複数の時が，時系列的な筋として配列されるのではなく，劇場空間の中にコラージュ的に配置される。それら複数の時は，歌や身振り，演説の言葉の引用によって，それぞれの時代の断片として舞台上に集められ，配置されるのだ。

筋ではなく断片の配置による劇構成は，「ポストドラマ演劇」[2]という概念によって積極的に評価された手法のひとつでもある。1999年の同名の著作によってこの概念を世界的に広めた演劇学者ハンス＝ティース・レーマンは，従来の「ドラマ」と歴史の関係を以下のように概観している。

> マルクス主義理論家たちは，ドラマは歴史の弁証法の最高形態であると主張した。歴史家たちも何度もドラマや悲劇・喜劇のメタファーを引き合いに出し，歴史プロセスの意味と内的統一を描いてきた。（・・・）歴史をドラマとして観察することで，ほとんど必然的に歴史記述の目的論がかつぎ出され，それによって今度はドラマ化された歴史事象に最終的に意味で満たされた視点があたえられることになる[3]。

西洋のドラマ理論の礎であるアリストテレスの『詩学』は，特定の主人公の行為を，「始めと中間と終わりを持った，一つの全体として完結した行為」[4]からなるストーリーに収斂することを理想としている。そしてその美学を受け

（1）初演は1995年10月20日，ハンブルクのDeutsches Schauspielhausにて。分析には以下の映像資料と公演パンフレットを用いた。Christoph Marthaler（Theaterregie）/ Andreas Missler-Morell（Fernsehregie）, *Stunde Null oder die Kunst des Servierens. Ein Gedenktraining für Führungskräfte. Theater-Aufzeichnung aus dem Deutschen Schauspielhaus in Hamburg*, ZDF / 3Sat / arte, 1996.

（2）Hans-Thies Lehmann, *Postdramatisches Theater*, Frankfurt a.M.: Verlag der Autoren, 1999.〔ハンス＝ティース・レーマン（谷川道子他訳）『ポストドラマ演劇』（同学社，2002年）〕

（3）レーマン『ポストドラマ演劇』，50頁。ただし，著者曰く，ポストドラマ演劇は「ドラマの『かなたで』ドラマと無関係にある演劇ではない。むしろ，ドラマ自体にある瓦解・解体・脱構築などの潜在的可能性が開花したもの」である。同書，56頁。

（4）アリストテレス（三浦洋訳）『詩学』（光文社，2019年），174頁。

継ぐヘーゲルは，ドラマ演劇を，対話や対立とその解決という弁証法的構図が感覚的に現れ出る場とみなした。しかし現実の歴史的出来事は，必ずしもストーリー的全体性を持つわけではない。アリストテレス的ドラマ理論は「人間存在の錯綜的なカオスと充溢を論理的（すなわちドラマ的）な秩序に組み入れる」[5]ことを重視するあまり，その枠組みに当てはまらないものを切り捨ててしまうことになる。さらに，20世紀に目覚ましい発展を遂げたメディア技術は知覚の断片化を推し進め，それによって筋の全体性による出来事の把握はいっそう疑わしいものとなっていった。写真や映画，録音再生技術の発展と日常生活への浸透によって，人間の身体や声のイメージの断片化が進み，それとともに主体やその主体の行為，そしてその主体を取り巻く日常の亀裂が露わになったのである[6]。

アリストテレス的伝統に基づくドラマ理論の全体性に代わるものとしてポストドラマ演劇が依拠するのは，ベンヤミンをはじめとする断片の思想である[7]。マルターラーの『ゼロ時』に集められた歴史の断片は，舞台上に引用され，劇場空間に配置されることで，今の時を生きる観客に出会いなおすよう仕向けられている。これは，ベンヤミンが「歴史の概念について」で構想した，「自分自身の時代が以前のある特定の時代と出会っている星座的布置(Konstellation)」[8]の演劇的な実践に他ならない。アリストテレス的ドラマが主人公による「行為」の全体性を描くのに対して，マルターラーの『ゼロ時』は断片の配置からなる特定の時代を示そうとする。アリストテレスの定義に従うならば，本作はドラマ演劇よりもむしろ歴史記述に近しい方法を取っていると言えるだろう[9]。

2 代議制民主主義の星座的布置（コンステラツィオーン）

こうしたコラージュ的構成自体は，マルターラーの演出作の多くに共通する特徴であるが，本論で取り上げる『ゼロ時』においてとりわけ興味深いのは，観客が政治的演説の宛先として劇の中に取り込まれることで，劇場空間の配置が民主主義の構造を模したものとなっている点である。というのも本作のテクストは，「ゼロ時」に関する演説の引用から織りなされたものであり，その演説の中で，観客は「我々（Wir）」そして「Volk」という言葉で括られ，語りかけられるからだ。本論では，この配置に着目して本作を分析し直すことで，演劇と民主主義政治の関係に新たな光をあてることを試みたい。それは同時に，政治的空間において歴史を想起する仕方をも再考する試みになるだろう。

ここでキーワードとなっているVolkという語には，他の民族と区別される「民族」の意味と，エリート層だけでなく下層民をも含み込む「民衆，人民」の意味があるが[10]，劇中に，さまざまな引用によって「民族」の意味のVolkと「人民」の意味のVolkとが織り込まれることで，Volkの語にはこの両方の意味が含み込まれている。まさにそのことによって，ドイツ統一時のスローガン「我々こそが有権者たる人民だ！（Wir sind das Volk!）」そしてその発展形「我々はひとつの民族だ！（Wir sind ein Volk!）」[11]の両方を暗に想起させるのだ。

劇中において，Volkを代表する「代議制民主主義」を率いているのは，アデナウアー[12]やブラントといった狭義の政治家だけでなく[13]，ボルヒェルトやヴィーヒャルトといった文学者を含む，政治的発言力を持つ「指導者」たち，本上演のパンフレットなどでFührungskräfteと呼ばれている者たちである。代議制民主主義とは，選挙によって選ばれた者がその代表となり，人々の意見を間接的に議会に反映させるシステムのことだが[14]，ここで代表者の役割を担うのは選挙で選ばれた政治家に限らないとして，代表者の概念を広く捉えようとする議論が活発になっ

（5）レーマン『ポストドラマ演劇』，51頁。

（6）Gerald Siegmund, „Diskurs und Fragment: Für ein Theater der Auseinandersetzung“, Anton Bierl u.a. (Hrsg.), *Theater des Fragments. Performative Strategien im Theater zwischen Antike und Postmoderne*, Bielefeld: transcript, 2009, S. 13.

（7）レーマン『ポストドラマ演劇』，112頁。

（8）Walter Benjamin, „Über den Begriff der Geschichte“, *Gesammelte Schriften*. Band 1-2, Frankfurt a.M.: Suhrkamp, 1991, S. 704.〔ヴァルター・ベンヤミン（浅井健二郎訳）「歴史の概念について」『ベンヤミン・コレクション1 近代の意味』（筑摩書房，1995年，664頁），およびベンヤミン（鹿島徹訳・評注）『[新訳・評注]歴史の概念について』（未來社，2015年，70頁）〕

（9）アリストテレス『詩学』174-175頁を参照。

（10）吉田寛『民謡の発見と〈ドイツ〉の変貌』（青弓社，2013年），221-226頁。

（11）石田勇治『20世紀ドイツ史』（白水社，2020年），101頁。

（12）引用されるアデナウアーの演説は，1967年2月28日，ミュンヘンにおいてドイツ基金のためになされた演説「ドイツ民族について思うこと」であり，劇中で複数回繰り返される。そこにはまさに，「ドイツ人の集団的罪責を戦後直後から一貫して否定し続けた」彼の態度が表れている。板橋拓巳『アデナウアー――現代政治を創った政治家』（中央公論新社，2014年），216頁。

（13）彼らは演説の文言が引用されることで登場するのみならず，声真似によって想起させられて登場する場合もある。その想起の証言として例えば以下の劇評を参照。Franz Wille, „Klasse Deutschland. Christoph Marthaler feiert die »Stunde Null oder die Kunst des Servierens«“, *Theater heute* 12 / 1995, S. 28-31.

（14）近年，これを直接民主制の妥協案としてではなく，積極的に評価する動きが見られる。早川誠『代表制という思想』（風行社，2014年），ヤン・ヴェルナー・ミュラー（山岡由美訳）『民主主義のルールと精神』（みすず書房，2022年）。

ており，こうした流れが「代表論的転回」と呼ばれている[15]。そこでは，例えば困窮した人々のために活動する非政府の団体や個人などにも，代議制民主主義における代表者の機能が見出されている[16]。『ゼロ時』の指導者たちが担っているのはまさに，こうした広義の代表者の役割に他ならない。彼らは，自らの演説の中で「我々」と括る聴衆に語りかけ，「我々」とされる者たちが共有する歴史を語ることで，聴衆の代表者として振る舞う。ここで「代議的」，「代表論的」と訳されている語は，ドイツ語では repräsentativ となり，俳優が役を演じ，戯曲を上演するというモデルを内包している。ただし，近年の代表論的転回においては，戯曲の存在を前提として，それを再-現前（re-präsentieren）させるというモデルにとどまらず，代表者のパフォーマティヴな主張によって，代表される者が事後的に構築されるとする構築論的な主張もなされている[17]。その論に則るならば，『ゼロ時』の上演においては，「我々」という存在が，演説を通して構築されていると捉えることもできそうだ。ただし，『ゼロ時』が振り返る 1945 年という年は，まさに指導者たちの政治的発言力が疑問に付されるようになった時点であり，喜劇である本作がまずもって提供するのは，指導者たちの代表者としてのパフォーマンスを斜に構えて見る立ち位置なのである。それを規定するのが，彼らのパフォーマンスを位置付ける星座的布置だと言える。次節では，本作において代表者を特徴づけるモチーフが，それぞれどのように位置づけられるのか，そして最終的に観客はその中にどのような位置を占めるのかについて考察したい。

3 代表者を特徴づけるモチーフ

3.1 ゼロ時

まず，「ゼロ時」という時点は劇中でどのように表現され，劇場空間の中に位置付けられているのだろうか。「ゼロ時」というモチーフは，劇中で擬人化され，「ゼロ時夫人（Frau Stunde Null）」という人物として登場する。とはいえ，彼女が劇の主人公となるわけではない。主眼が置かれているのは，あくまでも，彼女を取り囲む集団の在り方なのだ。俳優たちが演じる戦後ドイツの指導者たちは，擬人化されたゼロ時夫人に，奉仕の「技術（Kunst）」の訓練を受けている最中という設定である。ゼロ時夫人は，指導者たちの母親世代と思しき年配の女性で，ドイツの負の歴史を洗い流そうとしているかのように綺麗好きであり，彼女が入浴しているという設定の水音が劇中に流れ，それに指導者たちが耳を澄ます場面が繰り返し提示される。ただし，実際に行われる彼女の訓練の内容は，善き国政を行うためではなく，国民に良いイメージを持たせるための，自己演出を訓練するプログラムでしかない。シューベルトのピアノ曲《楽興の時 第 3 番》（D780/3）に乗って繰り広げられる訓練は，お遊戯会的であると同時に，ゼロ時夫人の吹くホイッスルなどが，体育の授業を彷彿とさせもする。こうした時間にテープカットや握手，レッドカーペットへの登場といった身振りを訓練する他にも，演説の練習や座学の講義，身体測定の時間などがある。そうしたゼロ時夫人の訓練において，最初は立派な風采で登場した初老の紳士たちが，まるで小中学生であるかのように子供じみた振る舞いをするところが，笑いを引き起こす大きなポイントになっている[18]。指導者たちは，ゼロ時夫人の訓練を受けながらも，時に怠けたり，居眠りをしたり，課題をいい加減にこなしたり，ゼロ時夫人のエプロンの紐を引っ張ってからかったりと，ゼロ時夫人を表向きは受け入れながらも，内心では軽く見ている様子が示されている。一方でゼロ時夫人自身も，決して清廉潔白な存在として登場するわけではない。それが端的に示されているのが身体測定の場面だ。そこで彼女は指導者たちの身長を杜撰に測り，彼らに対して恣意的な評価を下す。また，若者には優しく接する一方で，質問を繰り返す者には平手打ちで応じるなど，不平等な対応をする。「ゼロ時」はここで，あくまでも表層的で疑わしい指針として表されているのである。

「ゼロ時」というテーマについての明確なアイデアを持っていたのは，スイス出身の演出家，マルターラーではなく，彼と初期の頃から継続してチームを組んでいるハンブルク出身のドラマトゥルク，シュテファニー・カープの方だったようだ[19]。さまざまな引用から本作のテクストを間テクスト的に編集する作業も，彼女を中心としてなさ

(15) 田村哲樹他『ここから始める政治理論』（有斐閣，2017 年），86-87 頁。

(16) Sophia Nässtrom, “Where is the Representative Turn Going?”, *European Journal of Political Theory*, 10 (4), 2011, p. 505.

(17) 山崎望／山本圭「ポスト代表制の政治学に向けて」山崎望／山本圭編『ポスト代表制の政治学――デモクラシーの危機に抗して』（ナカニシヤ出版，2015 年）

(18) 本作制作にあたりマルターラーが着目していたのは，戦後政策の細部以上に，ドイツ人男性の「幼稚さ」という精神構造だった。Stefanie Carp, „In der Waagerechten auf die Fresse fallen“, Klaus Dermutz (Hrsg.), *Christoph Marthaler. Die einsamen Menschen sind die besonderen Menschen*, Salzburg und Wien: Residenz Verlag, 2000, S. 110.

(19) マルターラーの舞台制作は，ドラマトゥルクのカープ，舞台美術家のアンナ・フィーブロック，そして台詞演技のみならずダンス的素養や歌唱力にも優れた特定の俳優たちとのチームワーク抜きに語ることはできない。演出や演技のアイデアも，演出家がひとりで構想するのではなく，チーム内の議論を通して生み出される。Susanne Schulz, *Die Figur im Theater Christoph Marthalers*, St. Augustin: Gardez!, 2002, S. 21-26.

れた。本作が初演された劇場が発行している冊子に，カープは「ゼロ時」という概念について非常に辛辣な見解を記している。

> 国民社会主義が敗北した後に，ドイツにふたつのドイツ国家が築かれた。両方のドイツ国家が45年という年を後付けでゼロの年とした。このゼロは，ゼロ時とも呼ばれているが，数多くの悲壮でもったいぶったメタファーのひとつであり，今もそのようなものであり続けている。そのメタファーによって，現実は神秘的な魔法にかけられ，なんとか我慢できるものに見えるようになるのだ。（歴史などの知るべきことを――筆者）聞き知るのではなく，（ゼロ時という――筆者）メタファーを構築する。しかしそうしたゼロの状況など一度たりとも存在しなかった。そこにあったのは，愕然とするような連続性だったのだ[20]。

本作が初演された1995年という年は，「ゼロ時」と名指された1945年の敗戦の年からちょうど50年の節目の年であるだけでなく，統一ドイツという国家が誕生して5年目の年だった。カープは，同テクストの中で，統一ドイツが過去の「責任を掘り返されること」を忌避する様も指摘している[21]。カープのテクストにおける「責任を掘り返す者（Schuldbohrer）」は，『ゼロ時』の舞台上においては「しつこい質問者（Der Frager）」として登場させられる。彼に対する「ゼロ時夫人」の攻撃的な態度に，統一ドイツにおける責任回避の態度が表されていると言えるだろう。

以上から，1995年当時にカープが警戒していたのは，いったんはファシズムによってマイナスイメージを負っていたはずが，ドイツ統一にあたって「我々はひとつの民族だ！（Wir sind ein Volk!）」と再び祝福されるようになっていた「ein Volk」のイメージではないかと推測される。フランスの政治哲学者クロード・ルフォールは，著書『民主主義の発明』[22]の中で，民主主義の時代がフランス革命における王の断頭に始まるということ，すなわち，民主主義政治における権力の場所とは，カントロヴィッチが言うような，国家の代表者たる王の身体ではもはやなく，国民誰もが権力の担い手であるがゆえに誰のものでもなく汲み尽くすことのできない「空なる場所」であることを指摘した。この前提のうえで，ルフォールは，民主主義におけるこの「空なる場所」に，「ひとつの人民（Peuple-Un）」という，王の身体に代わる一体化した身体のイメージを取り戻そうとしたのが全体主義であったとしている[23]。「ゼロ時」という呼び名は，一見，戦後再び「から」になった権力の場所のイメージ，「空なる場所」のイメージを連想させる。しかし，戦後ドイツにおいて，ひそかにずっとその場を占めていたのは戦前からの連続体である「ein Volk」だったのではないか。ルフォールの図式に倣うならば，カープの懸念はこのように言い表すことができるのではないだろうか。

3.2 男性合唱

舞台上において，「ein Volk」の姿を最も端的に表しているのが男性合唱である。指導者たちは，他ならぬ Volkslied（民謡）と題された歌曲[24]を歌い，ひとつの歌詞を統一的な発言として発するのみならず，非常に完成度の高いハーモニーと，揃って歌う身振りによって，一体化した身体のイメージを体現する。マルターラー演劇において，歌は何の脈絡もなく突然差し挟まれる。ときに歴史的問題を孕み，いまや日常的にはほとんど歌われなくなった楽曲が，こうして突然に，しかし高い完成度で美しく歌われるとき，そこには感情移入と異化の効果が同時に生じる[25]。異化を伴いつつも感情移入を促す点で，合唱は観客を一体化と距離化の閾へと誘うのである。

『ゼロ時』の劇中で男性指導者たちによって歌われるのは，ブラームスやメンデルスゾーンなどの歌曲[26]，Sängergruß と呼ばれる合唱協会の挨拶代わりに歌われた歌[27]など，19世紀ドイツ語圏の合唱文化に属するものである。19世紀のドイツ語圏では男性合唱文化が盛んになり，教養市民の共同体を形づくることで政治的共同体の形成にも寄与したことが指摘されているが，そこで教養を育むのに最適とみなされたバッハなどの古いポリフォニー音

---

(20) Stefanie Carp, „50 Jahre Stunde Null“ in *Berlin Zürich Hamburg. Texte zu Theater und Gesellschaft*, Berlin: Theater der Zeit, 2007, S. 117.
(21) Ebenda, S.116-117.
(22) クロード・ルフォール（渡名喜庸哲他訳）『民主主義の発明――全体主義の限界』（勁草書房，2017年）
(23) ルフォール『民主主義の発明』，とりわけ14-15，57，66-71頁を参照。また，フランス語の「人民（peuple）」は，ドイツ語の「Volk」と完全に一致する概念ではないが，ルフォールは，全体主義を考察するにあたってドイツのファシズムをたんに念頭に置くのみならず，一見中立的な「peuple」が孕む危険を炙り出そうとしている。
(24) *Da unten im Tale* und *Erlaube mir, feins Mädchen* in *49 Deutschen Volkslieder* (WoO 33) von Johannes Brahms. 民謡がドイツ国家の形成において果たした役割については，吉田『民謡の発見と〈ドイツ〉の変貌』を参照。
(25) Vgl. Schulz, *Die Figur im Theater Christoph Marthalers*, S. 89.
(26) 注24の歌曲および *Abschied vom Walde* (Op.59, No.3) von Felix Mendelssohn Bartholdy / Joseph von Eichendorff.
(27) „Ein froher Sang / beim Becherklang / Gibt Alt und Jung / Begeisterung“, „Gottes großes Wort und Klang / deutsches Herz und deutscher Sang“. この2曲の出典は確認できていないが，明らかに Sängergruß の形式と内容をともなっている。

楽やカンタータ音楽[28]は，劇中では使用されていない。採用されているのは，ブラームスの《49のドイツ民謡集》からの歌曲をはじめとする民謡的な要素，過ぎ去った過去や故郷を懐かしむ要素，ドイツの森の情景を描いた要素，明確に愛国主義的な要素などを有し，後にナチズムにも接続する20世紀初頭のワンダーフォーゲルを連想させるような曲目である[29]。これらの歌は，最初「ゼロ時夫人」の指揮によって始められるが，必ずしも彼女の教育課程の中に位置づけられるのではなく，「ゼロ時夫人」の目を盗んで，訓練をサボタージュしながら密かに歌われる場合もある。戦後ドイツにおける指導者の典型的イメージに合致する風貌をした初老の男性たちが，彼らの時代から見た「クラシック」の歌曲を合唱する様子は，19世紀の教養市民的男性合唱文化を連想させるが，一方で，腕白な少年のように振る舞い，指導の枠外で自発的に合唱する彼らの様子，そして森を主題とする民謡的な歌曲の選曲によって，ワンダーフォーゲル的性質もまた強調されていると言える。さらに，ゼロ時夫人に隠れて合唱する彼らは，下品で猥雑なジョークを交わし合うことで，同時にホモソーシャルな文化をも体現している。喜劇『ゼロ時』においては，指導者像の二面性が19世紀の教養市民的男声合唱文化と20世紀初頭のワンダーフォーゲル文化を接続し，さらに両者のホモソーシャル性を強調して見せる。そして，そのようなかたちで結束する共同体が戦後も保持されている様子を示しているのである。

さらに終盤では，「ゼロ時夫人」と共に，ナチスの加担者だった音楽家ラルフ・マリア・ジーゲルによってドイツ語訳されたシャンソン『薔薇色の人生（*La vie en rose / Schau mich bitte nicht so an*）』が高らかに歌われる。彼らは，ゼロ時夫人が配膳するビールジョッキを片手にオクトーバーフェスト風の調子で歌うことで，フランス文化をドイツ文化のステレオタイプ的イメージに塗り替えてしまう。「ゼロ時」によって酩酊させられることで，彼らは隣国への侵攻の歴史を忘却し，自問から目を背けるのだ[30]。「ゼロ時」の概念それ自体こそが戦前からの連続性を下支えしていること，それがこの合唱において明示されるのである。

3.3 「故郷なき連合者」

ドイツの指導者たちが形成する文化的共同体の中には，ひとり異質な存在が混在している。「故郷なき連合者（Ein heimatloser Alliierter）」と呼ばれる英語話者の人物である[31]。彼とドイツ指導者たちの関係は，戦後ドイツと連合軍との関係を暗示していると言える。ゼロ時夫人の訓練プログラムを一通りこなした後，指導者たちは一人ずつ順番に舞台前方に歩み出，練習の成果を披露するがごとく，観客に向かって演説をしてみせるのだが，皆どこかに欠陥を抱えた出来で笑いを誘う。そこで最後に登壇するのが故郷なき連合者である。彼はそこで英語，ドイツ語，フランス語，ロシア語といった複数言語を非常に流暢に行き来して名人芸的な熱弁をふるい，喝采を浴びるのだ。この演説はチャーチルの引用を下敷きにしているものの，それは徹底的に解体され，クルト・シュヴィッタースによる無意味な音響詩「Ribbel, Bobble Pimlico」からの引用なども織り交ぜられて，文法的に未完成なフレーズの集積になっている。また，彼の熱弁が佳境に差し掛かったところで，爆撃やエンジン音を思わせるような破裂音や「原爆（Atombombe）」という語が凄みを利かせた低音で発せられ，連合国軍の内包する暴力的な側面も想起させられる。このように支離滅裂かつ時に危険ですらある連合者の演説はしかし，聞く者を圧倒するほどに力強い発声，音楽的構造をともなった名人芸[32]，そして「故郷なき」という形容詞が示す通りグローバルに複数言語の間を駆け巡る能力を見せつけて，ドイツの指導者たちによる満場一致の拍手と賛辞を得るのである。演説の後，彼らは連合者のご機嫌を取るようにホモソーシャルな談笑を繰り広げる。ただし，ドイツの指導者たちが連合者の演説の内容を全く理解できていない様子が，談笑における稚拙な英会話によって示される。彼らは，互いにどのような関係にあると言えるだろうか。

ルフォールの弟子のジャン＝ピエール・ルゴフは，著書『ポスト全体主義時代の民主主義』[33]において，冷戦後に進んだグローバル化を一種の全体主義と捉える見方に否を唱えた。そこには国民を束ねるひとつのイデオロギーがあるのではなく，むしろ他者との差異化への強迫観念，そして処理しきれないほど大量の情報が「無定形のざわめ

(28) 宮本直美『教養の歴史社会学――ドイツ市民社会と音楽』（岩波書店，2006年）
(29) 前述の曲目に加えて，*Nun leb wohl du kleine Gasse* von Friedrich Silcher / Albert von Schlippenbach. *Die Nacht*（D 983c）von Franz Schubert / Friedrich Wilhelm Krummacher も挙げられる。ワンダーフォーゲルの合唱文化については，牧野広樹『歌声の共同体』（松籟社，2022年）を参照。
(30) 「ゼロ時」による酩酊については，カープも直接言及している。Carp, „50 Jahre Stunde Null“, S. 116.
(31) Alliierter は，複数形 Alliierte で第二次大戦後の連合国軍を意味する。ここでは，それをひとりの人物が体現しているために単数形になっている。このニュアンスを出すため，本論ではあえて不自然な日本語で「連合者」と訳出する。演じているのはアイルランド出身の俳優 Graham F. Valentine。
(32) Vgl. David Roesner, *Theater als Musik. Verfahren der Musikalisierung in chorischen Theaterformen bei Christoph Marthaler, Einer Schleef und Robert Wilson*, Tübingen: Gunter Narr, 2003, S. 80-112.
(33) ジャン＝ピエール・ルゴフ（渡名喜庸哲他訳）『ポスト全体主義時代の民主主義』（青灯社，2011年）。

き」[34]となってメッセージを曇らせてしまうという状況が，強圧的な一元的支配とは異なる「穏やかな野蛮」をもたらしているのだと彼は主張する。「故郷なき連合者」の披露する名人芸的多言語演説は，たしかに言語としては「無定形のざわめき」に他ならず，そしてまた「ゼロ時夫人」の訓練が目的とする自己演出の技術に長けた，他者との差異化の成功例を示していると言えるだろう。ただし，グローバル化と全体主義の流れを完全に分離しようとするルゴフとは異なり，「故郷なき連合者」は，戦後の連合軍と東西冷戦後のグローバル化の成功者を体現すると同時に，ドイツの指導者たちが形成する共同体の中に巧妙に入り込んでいる。彼らは差異化と自己承認をめぐる競争に参加するホモソーシャルな価値観を共有し，合唱のハーモニーによって一見盤石な統一体を体現しているかのように見えるが，そのじつ競争によって分断されており，彼らを結束させるイデオロギーもなければ，一般意志のようなものもないということ，しかも彼らの愚かしさは悪しきものも鵜呑みにする危険を内包していることが，故郷なき連合者の存在によって露わにされるのである[35]。

3.4 Volk／聴衆

この上演の布置において，Volkと呼びかけられる観客はどのように位置付けられているのだろうか。観客は，指導者たちの滑稽な姿を笑い，完成度の高い歌や卓越した演説パフォーマンスに盛大な拍手を送る。そのようにして舞台に興じる観客たちは，指導者たちの姿を一方的にジャッジする側におり，その立場から彼らの「Kunst」つまり技術および芸術のサービスを享受している。その態度は，消費者的有権者の態度でもあると言えるだろう。

しかし，舞台上の指導者たちが時に垣間見せる差別的な言動は，もはや笑えない瞬間を繰り返しもたらす[36]。さらに，一方的なジャッジの態度は，リズムの演出によっても揺るがされる。舞台終盤で25分にもわたって繰り広げられる就寝場面において，指導者たちは，各々寝具を手にして眠る準備を始めるが，寝具は彼らの思惑通りに機能してくれず，彼らはいびつな寝具の上で居心地の悪い眠りにつくまでのあいだ，寝具相手に滑稽な格闘を繰り返すことになる。この格闘のリズムは，観客の側をも共振に巻き込むのだ。演劇学者エリカ・フィッシャー＝リヒテによれば，リズムは1960年代以降の演劇やパフォーマンスにおいて，ドラマの論理に代わって「時間を組織し構造化するための主導的な原理」[37]となった。それは，観客をも構造に組み込む力を持つ。長時間繰り返される寝具との格闘のリズムは観客の側でも体感されうるものとなり，それによって観客もまた，舞台上に展開される居心地の悪い眠り――すなわち戦後ドイツ人にとっての心地よい居場所のなさ――を追体験するようになる。ただし，それはマスゲームのような画一化ではなく，あくまでも個々人それぞれに異なるリズムが共振することによって起こる[38]。そして，そのプロセスの最中に，笑う聴衆と笑われる代表者という関係が決定的に反転する場面が見られるのである。上演終盤において，舞台上の俳優たちによるパロディではなく，現実の指導者たちの録音された声が劇場空間内に流れる。それに耳を澄ます際に，俳優たちは観客席のほうに向き直り，目を見開いて観客席のほうを見つめるのだ[39]。ここに生じるのは，今まで観客たちが自らと切り離して笑いの対象にしていた存在が，観客自身に重ね合わせられる状況だと言えるだろう。

最後この上演は，老人の高らかな笑い声で幕を閉じる。老人は「ホールの召使」と呼ばれ，「ゼロ時夫人」と共に

(34) ルゴフ『ポスト全体主義時代の民主主義』，204頁。

(35) ただし，そうした新しい形の野蛮に対する有効な処方箋までルゴフが提示できているわけではない。「無定形のざわめき」に代わるメッセージの創出が解決の糸口になるかと言うと，それはまた懐古的な全体主義への逆戻りになりかねないからである。

(36) 例えば，握手の訓練器を用いる場面において，黒い手が設置された時のみ指先を少しつまむだけで済ませるといった場面が挙げられる。また，平田栄一朗『在と不在のパラドックス――日欧の現代演劇論』（三元社，2016年）では，本作に先立つマルターラーの代表作『ヨーロッパ人をやっつけろ（*Murx ihn, murx ihn, murx ihn ab!*）』（初演：Volksbühne Berlin, 1995）においても，女性や移民に対するあからさまに差別的な言動が挿入されることで，舞台上の登場人物への懐疑が生じる様が指摘されている。

(37) フィッシャー＝リヒテ『パフォーマンスの美学』，197頁。

(38) フィッシャー＝リヒテ『パフォーマンスの美学』，201-202頁を参照。また，喜劇『ゼロ時』における，個々人で異なるリズムの様相については，以下を参照。三宅舞「演劇におけるイディオリトミーの（不）可能性――クリストフ・マルターラー『ゼロからの出発，あるいは給仕の技法』における「中間」としてのリズム」『研究年報』（慶應義塾大学独文学研究室）（第31号，2014年）。三宅は，このリズムのバリエーションのなかに，悲劇とも喜劇ともつかない「中間」を見出している。三宅の言うように，マルターラー演劇がたんなる風刺にはおさまりきれない二面性を持つからこそ，ドイツ人観客にとって本来ならば耳の痛い自己批判が，受け容れやすいものになっているのだろうと思われる。実際に，初演は拍手喝采で迎えられた。その様子については以下の劇評を参照。Benjamin Hinrichs, „Deutschlandschlaflied oder Sieben im Bunker. Ein neuer patriotischer Liederabend von Christoph Marthaler im Hamburger Schauspielhaus: »Die Stunde Null oder die Kunst des Servierens«“, *Die Zeit*. 26. 10. 1995.

(39) 厳密には，俳優は観客を直接見ているのではなく，映写機を思わせる光の当たり方から察するに，観客席の背後に映し出された映像を見ているようなのだが，実際にそれが映写可能なスペースはこの劇場にはない。ゆえに，観客席に向けられた俳優の視線によって，観客は自分自身の側と，観客席の後ろに広がる劇場外の現実世界を意識することになると考えられる。観客をただ直視するのではなく，視線を微妙にずらしてみせる身振りもまた，直接的な風刺が回避される一要因になっていると考えられる。

この場を取り仕切る者として，指導者たちとは一線を画す存在である。彼はこの最終場面で，演説用マイクにたどり着けない指導者たちを嘲笑っているのだが，彼と一緒に笑う観客の声はもはやほとんど聞こえない。この，笑いを共有できないという経験，そして笑っていたはずの対象と重ね合わせて見られるという経験によって，観客は一方的にジャッジして笑う立場から，ひょっとして自分こそがジャッジされ，笑われているのかもしれないと危惧する立場へと追いやられてしまうのである。

4 おわりに――潜在的反省の集合体

ドイツ統一直後，「我々はひとつの民族だ！（Wir sind ein Volk!）」という叫びが聞かれるようになった時代に，戦後ドイツの再出発点とされる「ゼロ時」という（疑わしい）時代概念を脱構築的に再構成することで，そこに浮かび上がる「ein Volk」の姿を問い直そうとしたのが，この『ゼロ時』という喜劇だったと言える。本作は，「ein Volk」の内実が，実は全く一枚岩ではないこと，すでに過度な競争で分断されていながらも，「ひとつ」のまとまりが偽装されていることを示し，それを愚かな姿として笑いの対象に据えている。ただし，本作はその様子を笑いの対象にするだけにとどまらない。舞台上の代表者たちは，最初は笑いの対象として観客とは分離した存在として現れるため，観客は心を乱されることなく，安定した外部の立ち位置から，指導者たちの愚かさをジャッジすることができる。しかし終盤においては，笑いの対象だったはずの存在が徐々に観客自身に重ね合わせられ，それまで他人事だった愚かさが観客自身のものにされてしまう。本作には，それまで舞台から距離を置いて一方的に笑っていた観客ほど大きなショックを受けるという仕掛けがほどこされているのだが，このショックとともに，自己と切り離されていた過去が現在に襲い掛かるのだ。

本作の星座的布置において，舞台上の代表者たちは，ジャッジされる存在から観客自身の写し鏡へと立場をずらすことによって，観客が自分自身をもジャッジの対象にするよう促している。それまで対象から距離を置いていた観客がそれに自己を重ね合わせるときにはじめて，一方的に呼びかけられているに過ぎなかった「我々」という言葉に内実が伴い，観客を含む「我々」の集合体が生じる。ただし，それは愚かさによって媒介されるまとまりでしかない。そしてその愚かさは，各々の内的な自省のプロセスにおいて，「ひょっとしたら」という潜在性の内に探索されるものであるがゆえに，全く同一のものとして共有することはできないのだ。さらに，自省には他者に対する過ちへの省察が内包されているため，――近年の代表制批判でたびたび指摘されるような――国家単位では解決不可能な問題に対して自己をひらく態度をも育むことになるだろう。それは言い換えれば，自己と他者のあいだではなく，自己の内に裂け目を見出すことでもある。このような潜在的反省の集合体こそが，代議制民主主義を正常に機能させるのに必要なのではないだろうか。この喜劇は，観客への呼びかけを通して「我々」という集合体を構築し，「代議的（repräsentativ）」な関係を演じると同時に，それらを異化して見せることで，観客自らがその内部にいる代議制民主主義のあり方を遊戯的に問い直す場を開く。ルゴフも指摘しているように，社会的・政治的なまとまりが解体され尽くし，機能不全に陥っているところで民主主義が機能することはないが，ドイツの歴史が露わにしているように，「我々」というまとまりには危険が伴う。そうした隘路に迷い込んだとき，その狭間で試行錯誤的に新たな共存のかたちを模索し，陶冶する場のひとつが，演劇なのではないだろうか。

書評

『政治的暴力の共和国——ワイマル時代における街頭・酒場とナチズム』［原田昌博 著］

（名古屋大学出版会，2021年）

藤原辰史

政治の道具は言葉でなければならない，ナイフでも銃弾でも砲弾でもなく，言葉によってこそ政治的課題は解決されねばならない，という考えは，現在，多数の人びとによって共有されているように思える。だから逆に私たちは，政治の道具に暴力が用いられると不安に駆られる。それは戦争だけではない。たとえば，EU（欧州連合）離脱をめぐるイギリスでの国民投票のとき反対派の議員が射殺されたり，大統領選の結果が不満な人びとによってアメリカ合衆国議会議事堂を襲撃されたり，沖縄で米軍基地の建設を反対する人びとが警備員によって暴力を振るわれたりすると，その原因と思われる政治的問題の悪化とともに，政治の野蛮化が進んでいくことに恐れる。

しかしながら，『政治的暴力の共和国』と題されたこの書物の中で，著者は，政治的暴力に怯えていた人びとではなく，それに魅せられていた人びとに着目せよと読者を誘う。私なりにいささか過剰に読み込むならば，多分本書は，言葉の代わりに放たれる暴力のスペクタクルに，その行為者として，あるいは，受け手として魅せられるかもしれない（あるいは，傍観し続けるかもしれない）「私たち」の心の奥底を掘り起こし，その上で政治とは何かを改めて考えよ，というタフな問いをつきつけている。政治概念そのものを問い直さずにはいられなくなるのが，本書の魅力である。

実際，結論部分で著者は，「民主主義を標榜するワイマル憲法をもつ社会であっても，暴力が忌避されず，むしろ一部の（決して少なからぬ）者に「魅力」すら与えていた」ことを重視し，「暴力をためらわない非言論的・非議会主義的な政党であると知りながら，人びとはナチスに投票したのであり，共産党も含めて暴力を隠すことのない政党が実際に暴力を行使する中で選挙での得票を増加させ，逆に暴力に対して消極的な政党の得票が減少した」事実を直視するように読者を誘っている（297頁）。

政治の野蛮化が進む現代社会において，このスリリングでチャレンジングな研究の成果が，各所の文書館に収められた警察・検察関連資料の精緻な分析をともなって刊行されたことを，私は，ドイツ史を研究する人間だけではなく，政治に関心のある全ての人びとにとってきわめて意義のあることだと考える。以下，内容を踏まえつつ，私が本書に魅せられた点を，いくつかの論点とともに示したい。

「ドイツ現代史の中の暴力」というテーマで読者の頭に真っ先に思い浮かぶのは，おそらくナチスの暴力であろう。しかもそれはどうしても，第二次世界大戦期の暴力に注目が集まりがちである。ホロコーストやT4作戦はその際たるものだ。あるいは，第一次世界大戦直後のドイツ革命から1923年11月のミュンヘン一揆までのワイマル共和国「前期」の「内戦」状態の研究蓄積も豊富である。暗殺や左右両極の暴力の吹き荒れた時代である。たとえば，第一次世界大戦後の義勇軍がドイツやポーランドで振るった凄惨な暴力は，しばしばのちのナチスのそれと比較されてきた。だが，本書が扱うのはそこではない。相対的に政治と経済が安定していたと言われるワイマル共和国中期（1924～29年）と，世界恐慌とともに社会の混乱が深まる後期（1930～33年）に，ベルリンの街頭（と後期は酒場）で，ナチ党と共産党が繰り広げた「政治的動機をもつ暴力」にほかならない。「あとがき」で著者は「なぜ民主主義からナチズムが生まれたのか」という素朴な問いが本書の問いであると述べているように，戦後民主主義の内部で人びとを魅了していた街頭の暴力にその危機を見出すべきだ，というのが本書の主張である。

本書のユニークな点を，二つだけ取り上げたい。

第一に，相対的安定期といわれる時代の暴力の諸相を明らかにしていることである。著者は，前期の政治的暴力を「体制転覆志向型」とし，中期と後期のそれを「党派対立型」と分類する。「党派対立型」暴力とは，ほとんどの場合，共産党とナチ党の対立であり，国家が独占する暴力装置である警察はその介入と鎮圧という二次的な役割を果たすにすぎなかった。たとえば，中期のクライマックスである両党の衝突事件「リヒターフェルデ東駅での衝突」では，ある警察は「わずかな警官では言うまでもなくこの状況に対応できず，銃撃戦の展開も何もしないままで傍観するしかなかった」（113 頁）と回顧している。相対的安定期のベルリンの街頭は，共産党が優位であった。街頭でデモをし，楽器を鳴らし，集会をするという労働者運動の文化に，ナチ党が挑戦するわけだ。1926 年 11 月に共産党の勢力圏であるベルリンに乗り込んだゲッベルスは，1932 年に刊行した『ベルリンをめぐる闘い』で，「マルクス主義政党だけが自らのために街頭を利用する権利を持っているかのように思えた」と当時を振り返りつつ，「大胆な言動でマルクス主義からこの権利を奪い取らなければ，大衆の征服など決してできない」（38‒39 頁）と当時の心境を述べているが，この様子が本書に詳細に描かれている。なお，本書には各時期の暴力の具体例をまとめた表が多数掲載されているが，必見である。

とくに私が印象に残ったのは，ベルリンの職業紹介所で，失業支援金の給付を受けるためにスタンプを押してもらいにやってきた共産党員とナチ党員が鉢合わせし，そこで何度も暴力が発生したことである。「政治的立場に関係なく失業者のルーティーン」が重なるということは，逆にいえば，同じ地域に住み，同じ経済的困窮状態に陥っている人びとが，党派の違いだけで乱闘を繰り広げるほど政治的暴力が生活圏に入り込んでいたことの証拠だからである。

本書の特徴として，第二に，「政治的動機をもつ暴力」の様相を一気に広げたこと，とくに「酒場」に着目したことである。佐藤卓己の『ファシスト的公共性――総力戦体制のメディア学』（岩波書店，2018 年）は，「財産と教養」が脆弱であると入場を拒まれる「ブルジョワ的公共性」ではなく，誰もが参加できるがゆえに危うさをともなう「街頭公共性」の重要性を指摘したが，これを下敷きに街頭の政治のあり方を具体的に描写したのが本書の特徴である。ただそれは，単に街頭で罵り合ったり，殴り合ったり，撃ち合ったりするだけではない。あとで述べるように，何と言っても共産党とナチ党の「酒場」とそれをめぐる暴力に着目したことこそが，本書の現代史研究に対する最大の貢献だと私は考える。とくに食と政治の問題を考えてきた筆者には最大の収穫であった。

実のところ，第二帝政期から酒場は「プロレタリア公共圏」（204 頁）ともいうべき，労働者文化，労働者の社交の中心であった。酒場は，飲食だけではない。風を凌ぐ場所，避難所，職業紹介所，娯楽場，読書室，集会場でもあり，カード，ビリヤード，ダンス，ボーリング，ギャンブル，芸能がそこでは繰り広げられていた総合施設であった。また，「会合や読書などを通して労働者の政治意識の形成や教育に重要な役割」を果たす労働者の「大学」（198 頁）という意味も兼ね備えていたのである。厳しい弾圧の中にあって酒場は地下活動の拠点でもあった。

ところが，1930 年代からベルリンに急速に広まる政治的酒場は，帝政期の政治的酒場とは異なる性質を帯びるようになる。地下活動をするためではなく，おおっぴらに政治的アピールをするための酒場が増えていくのである。本書にある写真を見ると，そこには特殊な政治的記号やシンボルで飾られた酒場の様子がわかる。この運動と生活とが融合する酒場が「縄張り」（280 頁）となって，そこに集合して別の党の酒場を襲撃したり，射撃の訓練をしたり，襲撃を受けて防戦したりしたのである。

では，当時のナチ党員にとって酒場とはどんな場所だったのか。本書にはＳＡ（突撃隊）が通っていた突撃隊酒場に対するＳＡ指導者の印象的な叙述が引用されている。

> 突撃隊酒場，それはいわば戦闘地域の強固な陣地だ。それは敵に対して平穏と安全を，厳しい任務の後の保養と補強を保証してくれる，前線の中の塹壕なのだ。［……］隊員たちは突撃隊酒場で，彼らが家庭でほとんどもち合わせていなかったものを体験した。つまり，温かな心，援助の手，「自分自身 Ich」に対する関心，共同体の感情と思考の調和である。彼らは仲間意識，そしてそれとともに故郷と生への喜びを体験したのだ。（222 頁）

民主主義国家の中でナチ党がなぜ支持を得たのか，という問いを考えるうえで，この描写は極めて重要であると私は考える。著者がこの引用をもとに突撃隊酒場の特徴を「横のつながり」や「仲間意識」，さらには「ヒエラルキー的組織構造の中の同調圧力」という表現で説明している。ここから，おそらくナチスは親密圏と公共圏の橋渡しのようなものをこの酒場が体現しようとしていて，それが議会政治の言葉によるやりとりの空疎さを，経済的苦境に対応できない民主主義に違和感を持つ人びとに向けて際立たせるような役割を果たしていたのではないか，と考える。

以上のように，本書は，ワイマル共和国の時期区分を街頭的暴力という視線からとらえなおすとともに，政治的に急進化する時代にあえて「政治的酒場」へ着目することで，街頭公共性の多彩な様相を描くことに成功している。それを踏まえた上で，本書を通じて疑問に思った点やもっと考えてみたい点について三点触れたい。

第一に，第二帝政期の酒場の具体的な有様は伝わってきたが，共和国後期のナチ党と共産党の居酒屋の様子，そこで生きる党員たちの姿などについてもっと知りたくなった。何を食べ，何を飲んでいたのか。寝泊まりはできたのか，「労働者の大学」的役割はどれくらい残っていたのか。非党員の利用状況はどうか。共和国初期にレーテが果たした役割とはどう違うのか。また，共産党とナチ党の酒場の相違点や類似点はどうだったのか。本書を読んだ印象論だが，第二帝政期とワイマル期の違いは，堂々とシンボルを飾るだけではなく，失業者の暮らしそのものの支える機能が高かったのではないか，と思う。というのも，さきほどのＳＡ指導者の言葉からは，酒場が家庭的機能を果たしていたことが伝わってくるからであり，そうであるならば生活機能はもっと整備されていたかもしれず，酒場への帰属意識は一層高まり，そこを襲撃されることへの怒りは一層強くなるはずだからである。突撃隊のヒエラルキー的構造に基づく「同調圧力」が「個」を消失させ，暴力をもたらした，という著者の見方はもちろん否定できないが，それとともに，酒場が自分にとってのホームであるという意識が強ければ強いほど，これを守ろうとする意識や，相手のホームを奪おうとする意識は高まったに違いないと私は考える。

第二に，暴力に参加せず傍観していた人びとについてである。

老人，子ども，女性，そして，どちらの党にも属さない同世代の男性は本書にあまり登場しない。冒頭に示したように，著者はワイマル期の人びとが街頭暴力に魅せられていた点を重視している。私自身もそのような点を重視したいと考えている。だが，街頭の暴力を見ていた老人，子ども，女性，そして同世代の男性は，共産党とナチ党の暴力沙汰のいったい何に，どのように魅せられていたのだろうか。政治家にはみられない彼らの真剣なまなざしだろうか。非日常性だろうか。暴力も辞さない組織力だろうか。いわゆる「男らしさ」だろうか。

なぜこんな疑問を抱くかというと，あまりにも暴力が頻発する中で，そもそも嫌悪感を示していた人びともいたはずだし，もっといえば，暴力のスペクタクル性よりも倦怠感の方が強くなるのではないかと考えたからである。とくに後期の暴力の日常性は，凄まじいレベルに達していた。「ベルリン警察本部の政治的街頭闘争に関する日報を見てみると，1932年6月21日から9月5日までの77日間のうち，記録が残っていない10日間を除いて，ベルリンで政治的暴力が発生しなかったのは3日だけであり，この間に少なくとも486件の政治的乱闘・襲撃が発生し，延べ2,979人が連行され，7名が死亡，239名が負傷していた」（160頁）。

これは暴力を傍観していた女性の問題とも関わってくる。たとえば，著者は第二帝政期の「酒場」が「男性的公共圏」であることに自覚的である。「プロレタリアの女性に社会主義が役に立たないと確信させたのは，しばしば労働者酒場であった」（206頁）とあるが，これはワイマル期も似たり寄ったりだろう。ただ，第8章の注12には，シャルロッテンブルクでナチ党員一名が共産党員に襲撃されて暴行を受けた事件が挙げられているが，「ナチ党員と一緒にいた女性がすぐ近くのナチスの常連酒場（Lokal von Ostermann）に援軍を呼びに行き，約25名のＳＡ隊員が出てくると，共産党員たちは逃走している」と記してある（374頁）。もちろん史料からだけでは明らかにすることは難しいとはいえ，この助けに走った女性は誰だろうか。どんな心持ちで呼びに行ったのか。ナチ党への共感からか。党員がかわいそうに思ったからか。人道精神からだろうか。援軍を呼びに行ったというところから，ナチ党の暴力には慣れているように感じるけれども，政治色の濃い酒場に女性もいたということは，ワイマル末期には普遍的な現象であったのだろうか。あるいは，街角を歩いていた通行人の女性や子どもたちにとっては「政治的暴力」は恐怖を抱かせるものであったはずなのだが，その恐怖心はどうして共鳴しあって，ナチ党の進出を止めることにつながらなかったのだろうか。

今後このあたりの具体的な様相について知ることができるのであれば，街頭公共圏のありようが一層明確になるのではないかと考える。

第三に，上記とも関わってくるが，街頭暴力の「転移」についてである。本書の扱う時代とは少し前になるが，日本でも「民衆暴力」が吹き荒れたことは，すでに藤野裕子の精力的な研究によって明らかにされている。藤野の『都市と暴動の民衆史――東京・1905–1923年』（有志舎，2015年）や『民衆暴力――一揆・暴動・虐殺の日本近代』（中公新書，2020年）によると，日比谷焼打事件から米騒動を経て，関東大震災時の朝鮮人虐殺事件に至るまで，それぞれの政治的動機は一見反するものではあっても，「男らしさ」の誇示や地域の「防衛」という面で共通の精神的基盤が垣間見られることがわかる。

ここからワイマル共和国の時代に引きつけて議論を発展させるならば，たとえば，ナチ党や共産党の街頭暴力の担い手は，先ほども述べたように，近い生活環境で暮らしていたわけで，どちらの党に所属してもおかしくない状況だったと考えられる。むしろ，その共通する土台がお互いにあったからこそ，街頭公共性は成り立ったとさえ言えるのではないか。だとするならば，彼らが振るった街頭の暴力の動機の根源には，「政治的」という概念から漏れ出てくるものも存在するのではないだろうか。暴力をめぐる精神の動きはもっと複雑にとらえられるのではないか。彼らが日常生活ではどんな暴力を振るっていたのか，または振るってこなかったのか。彼らはどんな「男らしさ」を身につけ，どう体現してきたのか。幼少期にどんな暴力を大人から受けてきたのか，という複合的な観点も，本書の論点から少しずれるとはいえ考えたくなった。

このような連想が読後に止まらなくなるほど，本書が活写したワイマル末期ベルリンの街頭政治は，この時代の「時代精神」をとらえるには絶好の場所であると感じた。

本書を起爆剤として「政治的暴力の比較史」研究が進められていくことを期待してやまない。

書評

『語りの断層――ドイツ＝ポーランド国境地帯の文学』［井上聡子 著］

（九州大学出版会，2022 年）

藤田恭子

1 はじめに

本書は，「社会主義末期のポーランドからドイツ連邦共和国（西ドイツ）へ移住し，東欧革命後はドイツ＝ポーランド間を移動しながら創作する人々の文学」（10 頁）[1]について，20 世紀以降のポーランドを中心とする中東欧の歴史やポーランド語による文学の歴史，移民を背景とする人々の営為をも含めたドイツ語による文学の歴史，そして両言語の文学に関わる研究史など多様な歴史，そして現代の文脈を踏まえて論じたものである。

評者はルーマニアに帰属している（いた）地域在住あるいは出身のユダヤ系およびドイツ系ドイツ語話者による文学を研究し，ドイツ語という執筆言語に焦点を定めることで，創作者および受容者の居住地域や彼らの「民族的」出自の枠を超えた「ドイツ語文学」の多様性を究明しようと努めてきた。しかし本書を読み進める過程で，執筆言語を基準とする括りだけでは，現在進行している文学営為について，その多様性を十分に捉えることができない局面があるとの認識を新たにした。同時に，第一次世界大戦後および第二次世界大戦後の政治状況が，東西冷戦によるヨーロッパの分断をも含めて今もなお，中東欧における人々のアイデンティティや文化，文学の営みに深く刻み付けられていることにも，改めて思いを致すことになった。さらに，文化や文学の研究に携わる者として，自らの視点の歴史性を自覚する契機をも得た。以下，評者が，「ドイツ語文学」の研究者として，本書からいかなる刺戟を得たのか，そこからどのような思索を紡いだのかを略述してみたい。

2 本書の問題設定

本書の副題は「ドイツ＝ポーランド国境地帯の文学」であるが，著者井上氏は「国境地帯」という語について，地図上にみられる「国と国との境界領域」のような「地理的概念ではない」（10 頁）と述べている。本書でいう「国境地帯の文学」とは，「単一の言語文化圏の枠組みに収まりきらず，分野をまたぐ学際的なアプローチ抜きには対象の輪郭をなぞることさえできない複合領域（トポス）」（同）として考えられている。他方で，考察の主たる対象である「一九八九年の東欧革命からポーランドが欧州連合に加盟した二〇〇四年の間に，ドイツ在住のポーランド人作家によって書かれた作品」（12 頁）を執筆した 5 名の作家――本書でのインタビューに応じているクリシュトフ・マリア・ザウスキ（1963‒），クリシュトフ・ニェヴジェンダ（1964‒），ヤヌシュ・ルドニツキ（1956‒），ダリウシュ・ムッシェル（1959‒）の 4 名に加えて，ナタシャ・ゲルケ（1960‒）――は，第二次世界大戦後にドイツ領からポーランド領となった「ポーランド北部・西部国境地帯」の出身でもある。そのため一見，「ドイツ＝ポーランド国境地帯の文学」とは，地理的な概念であるように思えてしまう。

しかし，読み進めていくなかで，著者の主張が徐々に評者にも伝わってきた。ポーランド史に疎い評者は今回はじめて認識したのだが，第二次世界大戦後，ソ連領となった旧ポーランド東部地域のポーランド系住民が北部・西部国境地域に強制移住させられており，上記の作家たちの親世代を含む同地域の住民たちの多くが「故郷喪失」の経験をしていたという。この歴史的経緯が，直接に強制移住を経験していない第二世代以降にも，多様な形で共有されていたのである。著者は先行研究を引きながら，ポーランドの「国境地帯」自体が，国境線の変更や住民の強制移住により「ディアスポラ的な性質」を持つと指摘している（15‒16 頁）。注目すべきは「ディアスポラ」という語の選択が示す著者の姿勢である。沼野充義はこの語について，「移住者たちの祖国と過去の災厄を振り返るだけでなく，彼ら

（1）以下，本書からの引用は，本文中に記す。

が『蒔き散らされた』先での新たな生の繁栄の可能性をも視野に入れるための用語になった」(2)と述べている。著者もまた本書で取り上げた作家たちについて，失われた故郷へのノスタルジックな態度ばかりでなく，故郷を失った経験から，どのように生の営みや周囲との関係を新たに構築しているかにも目を向けている。著者は，当該作家たちの世代について，「追放・故郷喪失体験を持たないが，自分たちの生まれた地域に残る多民族性，多文化性，多言語性の残響を聞いて育ち，親世代が話題にしたがらない故郷の断片性やアイデンティティの多様性を創作テーマとし」ていると指摘し，このような「文化的社会的に極めて複雑な環境」（26 頁）を背負いつつ，ドイツ＝ポーランド間を行き来している作家たちが創作した作品に注目し，そのテクスト空間の特徴を見出そうとしている。すなわち「国境地帯」とは，地理的概念であることを超え，現在の社会状況，自己認識，そして言語や文化のありように関する姿勢にまでおよぶ，多層性と多様性を含む概念であることを前提として議論を進めているのであり，そのことが，文学研究の書である本書の大きな特徴であるといえよう。

実際，興味深いことに，上記 5 名の作家たちの活動にとり，ポーランドとドイツという国家の境界やポーランド語とドイツ語という言語の境界は，もはや移動や活動の障壁とはなっていない。例えばルドニツキは，ハンブルクとルクセンブルクに住居を持ち，生まれ故郷の上シレジアのケンジェジン＝コジレにしばしば帰り，仕事でプラハに 1 年間暮らしたこともある（247−248 頁）。ムッシェルはポーランド語とドイツ語の両方で執筆を行っている。それゆえに著者は彼らの文学を「移民から移動者になった人々の文学」（18 頁）と総括している。

こうした彼らの生き方や執筆活動のありかたは，1 本の境界線を前提とする「越境」という語では捉えきれない。著者は，1994 年にドイツ国境にほど近いシチェチンで刊行された文芸誌『境界領域』の巻頭言の題名「境界を探して（W poszukiwaniu granic）」を引き，境界（granica）という語が複数形となっていることに注目している。すなわち，「境界領域」とは「可変的な複数の境界（線）が折り重なる空間」であり，この文芸誌を創刊したインガ・イヴァシフはここに「禁止と許容の間を揺れ動く」可能性を見出し，「議論を呼ぶが，この上ない価値を持つ自由な空間」を意味すると述べているという（18−19 頁）。本書で取り上げられた作家たちは，複数性と多様性を背負ってテクストを生み出しているのであり，その輻輳するテクスト空間を正確に理解するためには，ポーランドとドイツの歴史や社会，言語に精通していることが必要である。それを可能にしている著者の広範かつ深い知見に心からの敬意を表したい。

3 「国境地帯の文学」の立ち位置

上記のような意味での「国境地帯の文学」は，従来の「ポーランド語文学」や「ドイツ語文学」という枠組みに対して，いかなる存在として立ち現れているのだろうか。

評者は，ポーランド語による文学が東欧革命後の 1990 年代に決定的な地殻変動を経験したことを，本書ではじめて明確に認識した。すなわち，社会主義独裁期においては国内の体制文学と反体制文学，ならびに国外の「亡命文学」という 3 つに分かれていたシステムを，「ポーランド語文学」に統合することが喫緊の課題になったという（12 頁）。興味深いのは，この 3 つのシステムのなかでも，「亡命文学」が非常に大きな存在であったとの指摘である（32−36 頁）。「亡命文学」は，ポーランド分割後の時期にまでにさかのぼる長い歴史を持ち，この文学を支えてきた亡命者コミュニティには知的エリートが多く，亡命先での出版や受容の体制も整えられていた。19 世紀においては「亡命文学」は，国民国家を持つことを許されなかった人々に「『ポーランド民族』という確固たる観念を植え付け」，さらに文学を通しての「歴史の再構築も行われ」（33 頁）たという。このような経緯から，亡命の「神話化」という現象が指摘されるのであり，そのことを念頭におけば，「亡命文学」は，ポーランド語による文学や文化の営みにおいて，ある意味で，「中心／周縁」「正統／異端」といった二項対立における「中心」「正統」の位置にあったと理解してもよいだろう。しかしこの二項対立の図式において，（西）ドイツへの移住者は上記のような「亡命者」の括りから疎外されていたという。それは（西）ドイツへの移住の動機が，政治的なものというより経済的利益を優先したものであると考えられており，またフランスやイギリスと異なり，亡命出版社や亡命文芸誌なども充実していなかったからであるという（46 頁）。ドイツは，ポーランド人の「亡命・故郷喪失」神話においてはポーランド分割を行った敵国の一つである一方，経済移民にとっては「未来を約束する場所」（56 頁）つまりサクセス・ストーリーの場所であるという。そのため，ドイツ在住のポーランド語作家は亡命知識人が描こうとしなかった，経済移民やドイツ系帰還者（Aussiedler）の生活を題材とする文学を生んでおり，それは，「亡命を脱神話化する文学」（58 頁）とされている。特にドイツ系帰還者は，フランスやイギリスでの文学営為には取り上げられないテーマである。ドイツ系帰還者の少女モニカを主人公とするザウスキの短篇「アウジ」の分析（62−71 頁）は興味深い。

（2）沼野充義「ディアスポラ論」同『亡命文学論　増補改訂版（徹夜の塊 1）』（作品社，2022 年），46 頁。

モニカは学校でドイツ系帰還者を揶揄した「アウジ」という名で呼ばれる。ドイツ社会で疎外されているが，同時に彼女が目にしているドイツ系帰還者たちは，ポーランド料理を食べつつ母語であるポーランド語で会話し，そのなかでポーランドに対する蔑みと「ドイツ民族」としての「誇り」を誇示する。彼らはその矛盾を無視して生きる姿を赤裸々に晒しており，モニカは嫌悪をもってその姿に接している。ここで描かれているポーランド系移民やドイツ系帰還移住者の姿には，深く刻まれたヨーロッパ史の爪痕が示されている。

だが，このような側面を持つ「ドイツ＝ポーランド国境地帯の文学」は，「ポーランド語文学」に内在する二項対立の中で今もなお「周縁」の位置にとどまっている。ザウスキは，自分たちがかつての「亡命作家」の系譜に準ずると考え，ポーランド国内在住の文筆家による支援を求めたが，1980年代半ば以降に国を去った在外ポーランド語作家はかつてのような亡命文学者としてのステータスを与えられることはなく，「ポーランド文化」「ポーランド語文学」の枠から疎外されているという。(86頁)

ドイツ語でもポーランド語でも執筆するムッシェルは，疎外を二重の意味で感じ，「外国人作家は二重に疎外されている。自分の国の人々からは必要とされないし，此処の人々からもやはり必要とされないのだ」(91頁) と語っている。国外在住のポーランド語作家としての彼は，かつて亡命文学の背景となっていたようなポーランドコミュニティとの堅固な関係を持たず，また国外在住の理由も異なるため，自分たちはかつての「亡命作家」とは全く異なるアイデンティティを持つと考えている。他方で，ドイツ語作家としての彼は「ドイツが多民族国家であるからには，ドイツ語文学も多民族的であるはずだ」(90頁) と考えている。しかしそれにもかかわらず彼は，ドイツ語の読者からも疎外されているというのだ。事実，本書では，ドイツ語文学という枠組みのなかでも，ドイツ在住のポーランド人作家による文学営為について，彼らの実験的な手法による新たな表現の試みが注目されることもなく，適正かつ十分な評価がなされているとはいえないことが，説得力をもって示されている。その根底には，ドイツ在住のポーランド人作家がドイツ語で執筆する場合，「外国人文学」や「移民文学」，「ドイツ語を母語としない作家たち」と呼ばれてきたジャンルとして研究されることによる限界が指摘されている。ムッシェルはそこに，「外国人によって創作された文学を厳密な意味での文学から締め出し，隅へ追いやるという一つの目標」(同) を見ている。ムッシェルの批判は，移民によるテクストへのアプローチが，異文化コミュニケーションという次元にとどまり，テクストを「社会のマジョリティに移民の心情や暮らしの何たるかを分かってもらうための手段」(24頁) としてのみ理解し，その文学性に正面から切り込む姿勢がないドイツ語文学研究に対する著者自身の批判とも通底している。本書は，ポーランド人ドイツ語作家の視点から，ドイツ語文学の受容や研究における視点の歴史性を照射する機能も帯びているのである。

4 「国境地帯の文学」が示す文学的可能性

ムッシェルが指摘した「ポーランド語文学」「ドイツ語文学」という概念にまつわる歴史のくびきを超克する新たな可能性もまた，本書で示されている。

この関連で評者が非常に興味を引かれたのは，ゲルケについての記述である。著者はゲルケを，「亡命」や「故国喪失」の「脱神話化」を図り，「デビュー当時から『移民文学』というジャンルに距離をとった作家」(140頁) として紹介している。彼女は1985年以降ハンブルクに居を構え，現在はハンブルクとチベットにある住居を行き来している (165頁) が，ポーランド語で執筆し，一部はドイツ語や英語に翻訳されているという。

1994年に刊行されゲルケの文学的評価を決定づけた短篇集『フラクタル』は，「長くても五，六ページ，短い時は一ページにも満たない六十二篇の小説」から構成され，「物語の大半は，様々な形態を伴って現れる現実の多様性におののく登場人物の，とりとめのない語りによって構成されている」(165頁) という。注目したいのは，ゲルケが描く登場人物の現実に対する姿勢である。登場人物たちは，現実を前に「おののい」ており，その語りは「とりとめのない」とされている。先行研究によれば，体制転換後にデビューした作家たちは，「何かに反抗したり，異議を唱えたりする個人のかわりに，自らの状況を運命として受け入れることしかできない人間の姿を，集団的性格を持つ主人公を通して描き出」(166頁) しており，これは社会主義体制崩壊以前にデビューした作家たちには見いだせない特徴であるという。そしてこのようなポーランド語文学の歴史的文脈を踏まえて，著者が引いているゲルケの言葉は非常に印象的である。

ゲルケによれば，体制転換後に迎えたのは「受難に対する反作用の時期」(以下，本段落の引用はすべて169頁) だ。すなわち「まっとうなアイデンティティの危機」が到来したが，それは「限界をもつ一段階であり，永久には続かない」。同時に，「地面の下からはもう新しい意識が芽生えている」。その「新しい意識」を体現しているのは「きちんとした身なりの環境保護者である私たち」だ。この「私たち」は「空き瓶をコンテナに持っていく」が，体制転換のために経済的破綻を経験した地域の「飢えた子どもたちどころか，絶滅しつつある北極海のイルカのことにも無関心」だという。すなわち「私たち」は社会の流れに表立って抵抗を示すことなく，その関心は極めて多様で視点が拡散している。それゆえに視線が向かないものには「無関心」だ。ゲルケは，このような「私たち」の「興味の多様性」を指摘し，その多様性ゆえに「メタファーの地平は必ず広がる」と考え，「興味の多様性」に「自分を表現するために新しい形式を作り上げる」「新しい質」を見ている。

ここで示されているのは，ポーランド人やポーランド語文学の「真正性」を中核としたアイデンティティの確立や保持にこだわることのない，新たな自己意識の可能性である。実際に著者は，ゲルケのテクストの特徴として，「自己同一性の欠如」や「脱構築的処理の連鎖としての，ジャンルないしはミメーシスの秩序を回避する手段としての語りの展開」（171頁）がすでに指摘されていることに触れている。これらの特徴はポストモダンの文学の特徴でもある。しかしポーランドという国家やポーランド語の歴史を踏まえると，「亡命文学」のように，「民族」や「民族文化」の中核や規範としての機能を背負わされ，秩序への志向を内在させていた文学へのアンチテーゼとして，ゲルケのテクストは独自の意味を帯びているといえよう。

著者は，このような新たなポーランド語文学の可能性を論ずる前提として，ドイツの比較文学研究者イマコラータ・アモデオの研究を踏まえ，「リゾーム」という概念に注目している。「リゾーム」すなわち「根茎」は，ドゥルーズとガタリが著書『千のプラトー』において，「系譜」すなわち権力システムを意味する「木」に対して「反系譜学」(アンチ)[3]として設定した概念であり，「序列的でなく意味形成的でない非中心化システム」[4]である。歴史が常に「定住民族の視点から，そして国家という統一的装置の名において書」[5]かれてきたことに対するアンチテーゼだ。著者はアモデオの研究を立論の手掛かりとし，ドイツ在住の外国人作家による文学の「非従属的で異種混合的」（122頁）な特徴が，「多声性」「多言語性」「題材やモティーフのレベル」「混淆の（synkretisch）文体」という視点から整理されていると紹介している（125頁）。そのうえで，アモデオがこれらの特徴を「リゾーム的」と呼んでいることに注目して，それとの共通性を念頭に，ドイツ語でも執筆するムッシェルの言語表現の特徴などを論じている[6]。

しかしアモデオが分析対象としているのは主に，いわゆる移民第一世代の作家たちである。著者自身も認識しているように，世代が進み，「移民の背景を持つ」ものの，自身はドイツに生まれ育った作家が増えていくことで，状況は大きく変わっていくことだろう。またゲルケは，ドイツ語での翻訳が刊行されているが，基本的にはポーランド語で執筆している。ポーランド語作家としての彼女の作品の「多声性」や「多言語性」についての分析を含め，アモデオの研究から得た視点が，本書で考察した作家たちの活動すべてに妥当するのか，更なる考察を望みたい。

5 おわりに

本書が取り上げる「ドイツ＝ポーランド国境地帯の文学」は，従来の意味での「民族」や「国家」の境界も言語の境界も超える存在であるが，その背景となる歴史を踏まえると，対象の時期を東欧革命後の体制転換期からポーランドのEU加盟までとしたことは，この文学の特徴を明確に捉えるうえで適切であったと思われる。他方で，著者がこの文学を取り上げるなかで「移民の詩学」として「記憶モードの雑種性」（23頁）について語り，またこの文学の背景としてのドイツのポーランドコミュニティの特徴を「雑種的」という概念で捉えている（32頁）ことに，評者は反射的に違和を覚えた。というのも評者にとって「雑種」という語には，その対義語として「純血種」という概念が内在しており，評者が身に着けてきた日本語の語感において，後者には一般に肯定的でより高い価値を付されていたからである。アモデオは外国人によるドイツ語文学を論じる際，「異種混淆的」といった概念を用いていると著者は説明しているが，「異種混淆的」という語に評者は否定的なニュアンスを感じない。「雑種」という語に，反射的に中立的あるいは肯定的な意味とは異なるニュアンスを感じるということ，そのこと自体，評者が内在化させてきた言語や言説の歴史性を認識せざるをえない。他方で，おそらく多くの読者もまた，類似の歴史性を評者と共有しているのではないか，とも想像する。その意味で，「雑種」という語をその歴史性から解放するべく，この語の概念規定や先行研究における同種に属すると思われる諸表現，たとえば「異種混淆的」などの語との共通性と相違性について付言すると，この語を用いることの意義がより伝わるように思う。

また日本語の表現の理解をよりよくするために，時折ポーランド語やドイツ語の原語表記が挿入されているが，十分な校閲の時間が不足していたのか，誤植や見落としが複数あった。本書の意義に関わるものではないが，少々残念に思った。

（3）ジル・ドゥルーズ／フェリックス・ガタリ（宇野邦一他訳）『千のプラトー――資本主義と分裂症』（河出文庫，2010年），52頁。
（4）ドゥルーズ／ガタリ『千のプラトー』，53頁。
（5）ドゥルーズ／ガタリ『千のプラトー』，56頁。
（6）例えば，第3章第3節「標準語に対するコロニアルな闘い」（184‒198頁）。

書評

『核の一九六八年体制と西ドイツ』
[岩間陽子 著]
(有斐閣，2021年)

竹本真希子

本書は『ドイツ再軍備』(中央公論社，1993年)の著者である岩間陽子による，西ドイツの核不拡散条約(NPT)加盟に関する国内政治および国際関係史の書である。1968年に成立したNPTは，それ以前にすでに核兵器を保有していた五カ国(米，ソ，英，仏，中)を「核兵器国」，それ以外の国を「非核兵器国」として，それぞれに対して核軍縮と不拡散の義務を課し，同時に原子力の「平和的利用」を推進するものである。西ドイツはアデナウアー時代から自国の核兵器の保有を模索していたが，NPT署名によりこれを放棄し，北大西洋条約機構(NATO)の「核共有」の体制，つまりは米国の核の傘のもとでの安全保障を選択した。なぜ，そしてどのように西ドイツは自国の安全保障を他国に委ねるようなシステムであるNPTに加盟したのか。この問いをもとに，アデナウアーからブラント時代までが扱われる。

本書ではベルリン問題や西ドイツ国内の核兵器保有および安全保障をめぐる議論，内政も詳細に論じられるが，同時にかなりの頁が米国の核戦略や対ドイツ政策，そして英，仏，NATOやソ連の動向，さらにそれぞれの外交関係にも割かれている。そのため，ドイツ研究者に限らず，欧米を中心とした安全保障，核政策，あるいは冷戦史研究といった様々な分野で広く関心を持たれており，評者が知りえた限りでも，本書の出版から本稿執筆時までの約1年間に，すでに国際政治[1]，防衛学[2]，国際安全保障[3]の研究者による書評が発表されている。以下では，各章の内容を西ドイツの動向を中心に紹介し，その後若干のコメントを述べるが，本書の内容については先行する書評も参考にしてほしい。

序章「核によって支えられた秩序」では著者の問題意識が明らかにされる。本当にベルリンの街を守るために核戦争をするつもりだったのか，という問いである。冷戦期を通して，西ベルリンと西ドイツは，核戦争を「するということにしておかねば，戦争を避けることができなかった」(6頁)状況に置かれていた。米英ソが作ったNPTを受け入れたときに西ドイツはこの問題に対する一応の答えを出したのであり，この答えがどのようなものであり，西ドイツがNPTをどのようなプロセスで受け入れたのかが本書のテーマとなる。

第1章「核戦略の誕生」は，米の防衛と核政策を，原子爆弾の開発からトルーマン政権期，アイゼンハワー政権期へと追っていく。アイゼンハワー政権に打ち出された「大量報復戦略」が大量の核兵器による抑止という冷戦期の西欧防衛の基本構造を作った。

続く第2章「大量報復戦略と西ドイツ」では，アイゼンハワー政権の核戦略に加えて，核関連技術が大きく変化した時期が扱われる。欧州がアメリカの戦術核の搬入先となり，現在「核共有」として知られる核戦略の枠組みが作られる過程が示される。西ドイツはアメリカとNATOに安全保障を頼ることになるが，スエズ危機やスプートニク・ショックを経て，米の政策の転換が始まる。とくにスエズ危機において米ソが英仏に対して圧力をかけたことは，アデナウアーに米への不信感を生んだ。アデナウアーは独仏協力とそれに基づく欧州統合に期待をかけ，これが欧州原子力共同体(EURATOM)の設立や核に関する独仏伊協力構想(FIG)，エリゼ条約の締結につながっていく。

こうした米の政策転換がイギリス側の事情とともに，米英の核協力による密接な関係の構築という観点から論じられるのが，第3章「米英「核同盟」と危機の季節」である。イギリスに対する特別待遇は大陸側に不満を抱かせ，NATOは危機を迎える。これを回避するために開催され

(1) 土山實男「核抑止のディレンマに苦悩する西ドイツ——岩間陽子著『核の一九六八年体制と西ドイツ』を読む」『書斎の窓』No.679(2022年1月)，11-16頁，http://www.yuhikaku.co.jp/shosai_mado/2201/index.html?detailFlg=0&pNo=10(2022年9月28日閲覧)。
(2) 小川健一「岩間陽子著『核の一九六八年体制と西ドイツ』」『防衛学研究』第66号(2022年3月)，127-135頁。
(3) 田中慎吾「岩間陽子著『核の一九六八年体制と西ドイツ』」『国際安全保障』第50巻第1号(2022年6月)，115-119頁。

たNATOのパリサミットで提案された核戦略が，現状のNATOの「核共有」の起源となる。本章では同時に，その後の冷戦期の外交を大きく変化させたベルリン危機に対する米ソの対応やベルリンの壁構築の背景についても述べられる。

第4章「「N番目」の核保有国」では，同時期のフランスが取り上げられる。ドゴールはアメリカによるコントロールを受け入れず，自国の核保有にこだわり，フランスはのちにNATOから離脱することになる。このころ中国が核実験を行い，新たな「N番目」の核保有国の誕生，つまり核拡散が危惧され，米ソは核不拡散に関する議論を進めることになる。一方，西ドイツ，とくにキリスト教民主同盟・社会同盟（CDU／CSU）は大西洋派かドゴール派かで揺れるが，ケネディが多角的核戦力（MLF）よりも通常兵器を重視したこともアデナウアーの対米不信につながり，アデナウアーはフランスに接近して，ドゴールとの「神話」が形成されていく。しかしそのアデナウアーの影響力は，次第に失われていくのである。

第5章「核の一九六八年体制への道」は，ベルリンとキューバの危機以降のケネディ政権の政策転換がNPT成立に向けた移行期として論じられる。ドイツでは主にエアハルト政権期にあたる。ケネディは核戦争の回避を優先し，米ソ共存へと転換し，NPT交渉を本格化させる。西ドイツでは依然として保守党内でNPTへの敵意が強く，NATOよりフランスを信用する傾向にあったが，しだいに社会民主党（SPD）や自由民主党（FDP）のなかでNPTを受け入れる土壌ができていく。

第6章「西ドイツと一九六八年体制の受容」は，キージンガー大連立内閣からブラント内閣の時期を取り上げる。キージンガー内閣が発足したころには，NPTに向かう方針は明確になってきていたが，ドイツ国内，とくに外務省にはなおも根強い反対があった。外相に就任したヴィリー・ブラントと当時外務省にいた彼の腹心のエゴン・バールは東西の緊張緩和に向けてNPTへの署名の重要性を認識し，下準備を進めていった。1969年9月にブラント政権が発足した際に西ドイツが速やかにNPTに署名できたのは，この準備があったからこそであった。西ドイツが核を放棄し，東西の懸け橋になることが平和につながり，結果として西ドイツに利すると考えていたブラントらにとっては，NPT加盟は単に核軍縮の問題だけではなく，東方外交とも結びついていた。また本章ではブラントの政策の成功やNPTの成立の背後に共産圏側の変化があったことも指摘される。60年代からの中国との対立や「プラハの春」による東欧圏の分裂により，ソ連はヨーロッパにおける国境戦の安定と武力不行使宣言を通じた緊張緩和を強くもとめていたのである。

終章「生き続ける核の一九六八年体制」において著者は，書名にもなっている「核の一九六八年体制」をこう説明する。核兵器を製造する知識が生じた1945年以降，各国が核兵器にどのような意味を与え，どのような秩序を維持しようとするのかという問題と格闘してきたが，それに対するひとまずの答えを見出したのが1960年代末から70年にかけてであり，ここに成立した秩序が「核の一九六八年体制」である。この体制は，米ソ，それ以外の核保有国，米ソの拡大抑止の享受する非核保有国である同盟国，それ以外の非核保有国という4つのカテゴリーからなる。圧倒的な数の核兵器を保有する米ソが均衡を取りながら，米ソ以外の核保有国は「最大限抑止」理論をとり，核兵器を持たない米ソの同盟国は米ソの拡大抑止に守られる。本章では改めてNATOの「核共有」の解説がなされ，反核運動の果たした役割にも触れながら，核兵器の使用を拒否する「核のタブー」が国際社会に成立し，これまで「核の一九六八年体制」が維持されてきたことが振り返られる。

西ドイツの核保有に関する議論とNPTについては，津崎直人の『ドイツの核保有問題』（2019年）が原子力の平和利用（民生利用）の議論も含めながら，西ドイツおよび統一ドイツの核をめぐる歴史を論じている(4)。本書も同じくNPTをテーマとするが，上述のように西ドイツのみを取り上げげたものではなく，1960年代末までの欧米の関係史として読むこともできる。ただ，とくに1956年から57年ごろに関して，章を分けて時系列が前後しながら各国の事情について述べられているため，整理しづらい印象があるのは否めない(5)。また，核兵器や核政策に対する予備知識を必要とするため，評者がどれだけ本書を深く理解できたかわからないが，今回は平和運動史の観点からの書評という依頼を受けたため，この点から若干のコメントをしたい。

本書が扱う1940年代後半から1969年までのわずか20年の間に，核兵器に関する技術は恐ろしい速さで発展した。広島と長崎を攻撃した原爆は，あっという間に地球を滅ぼす規模にまで到達した。本書では，こうした核技術と核政策の急速な変化のなかで，西ドイツが安全保障や核保有，欧州統合といった問題において，米，英，仏といかに協議し，いかに翻弄されたかが描かれていく。冷戦の主役は米ソであり，西欧の防衛体制は米国によって作られたが，戦争が起きるとするなら，その舞台はドイツであった。中でもベルリンは西欧のなかで最も危険な場所であり，ベルリンを守るために核兵器を使えるかどうかは現実

（4）津崎直人『ドイツの核保有問題――敗戦からNPT加盟，脱原子力まで』（昭和堂，2019年）。
（5）田中も同様のことを指摘している。田中「岩間陽子著『核の一九六八年体制と西ドイツ』」，118頁。

の問題であった。「不安（Angst）」はドイツ史を理解するためによく用いられるキーワードのひとつだが，本書ではアメリカやNATOがどれだけドイツとベルリンを守ってくれるのかというアデナウアーの不安が繰り返し述べられる。核兵器をめぐる議論は，安全保障の問題であると同時に，米国への依存と不信感，自国の核保有への欲求，英仏への対抗心，独仏和解，独立国としての在り方，NATOでの立ち位置，大西洋派かゴーリストか，あるいは欧州統合など冷戦期の西ドイツをめぐる諸問題に複雑に絡み，西ドイツがどうあるべきかという議論そのものになっていったと言えよう。本書で書かれるアデナウアーやエアハルトらの揺らぎと苦悩，駆け引きが，このことを明らかにしている。

本書からはまた，核兵器に対する認識の歴史的な変化も見えてくる。広島と長崎で実際に使われた核兵器は，技術の発展によってしだいに「使える兵器」から「使えない兵器」に，つまり実際の使用よりも抑止力を前提とする兵器になっていった。そして次第に核兵器はタブー視されていく。アデナウアーは原爆に関する不用意な発言から，科学者による反核アピール「ゲッティンゲン宣言」が出されるきっかけを作ったが，彼自身は核兵器の使用は許されないと考えていた。広島市にある「世界平和記念聖堂」には，アデナウアー寄贈の「再臨のキリスト」のモザイク壁画がある[(6)]。アデナウアーがどこまで広島と長崎の被害について知っていたかはわからないが，このことは単なるエピソードにとどまらず，政府の核政策の決定に反核運動がどれだけ影響を与えられるのかにも関わってくる。1950年代のゲッティンゲン宣言や原爆死反対闘争などの初期の反核運動，イギリスの核軍縮キャンペーン（CND）と欧州の復活祭行進，ベトナム反戦などを経て，1970年代までに核兵器の使用をタブーとし，核保有を放棄して核軍縮に尽力することを是とする世論が形成された。本書でも反核運動や反核の世論が各国の核政策に影響を与えたことが指摘されている。そして1980年代以降，「カイン・オイロシマ」（ヨーロッパを核戦場化するな）をスローガンとする大規模な反NATOの反核運動を経て，チェルノブイリ，フクシマの原発事故を経験し，原子力の軍事利用，民生利用双方の危険が意識されていくのである。核の一九六八年体制は，こうした反核運動によっても支えられてきた。同時にNPTの不均衡な体制を打破して核兵器のない世界をつくろうという努力もなされてきた。2017年に成立した核兵器禁止条約は，核兵器を持たない中小国とNGOによる反核運動である。日本をはじめとし，アメリカの核の傘にある国々は同条約に参加していないが，2022年6月に開催された同条約の初の締約国会議にドイツが発言権のないオブザーバーとして参加したことは注目に値する。

また本書は冷戦期の西ドイツの核をめぐる議論を活性化させると同時に，きわめて今日的なテーマを提示している。終章において著者は「核の一九六八年体制」は現在も維持され，それを支える規範も生き続けているが，「はたしてこの体制がそのままで生き延びられるのかは，大きな曲がり角に差しかかっている」と述べる。そして「あらゆる面で国力を落としているロシアが，核大国であることの責任を果たし続けるのか，それとも矮小な国益のためにこれまで半世紀にわたって維持してきた体制にダメージを与えるような行動に走るのか」と問うのである（347頁）。

2022年2月以降，我々はまさにロシアが第二次世界大戦後の国際社会の様々な規範や体制にダメージを与えるところを見てきた。タブーだったはずの核兵器の使用が，いまや現実のものになりつつある。そして日本では，ウクライナの自主的な核放棄がロシアによる侵攻を招いたとして，核武装論や「核共有」論が持ち出されている。しかし本書において著者は，NATOの枠内での「核共有」は，実際には核弾頭自体は米軍のものであり，同盟国軍はその運搬手段を持っているにすぎず，あくまでも使用の決定権はアメリカにあるとし，NATOの核共有は軍事的な意味よりもむしろ「政治的なシンボル」としての意味が大きいとする。一言で「核共有」と言っても，そこに至るには膨大な議論や交渉があり，核弾頭，運搬手段，弾道ミサイルそれぞれをどのように調達するか，核に関する情報をどう手に入れるのか，使用決定の権限はどこが有するのか，こうしたことが各国の間で時間をかけて議論されてきたことが明らかにされている。そしてその上でブラントらが出した結論が「核兵器の放棄と緊張緩和」だったのである。安易な「核共有」論が無意味なことは明らかであろう。

世界は核戦争を回避できるのだろうか。どのように回避すべきであろうか。今後，NPTの維持，あるいはさらなる核軍縮・廃絶に向けて，何をすべきであろうか。著者が述べるように，「過去の選択の理由を正確に理解する努力」を続けなければならない。NPTや核兵器禁止条約に関する議論も含めて，こうした歴史的な積み重ねを十分踏まえた上で議論する必要がある。そのためにも本書の意義は大きいと言えるだろう。

（6）アデナウアー寄贈のモザイク壁画については，世界平和記念聖堂のウェブサイト http://noboricho.catholic.hiroshima.jp/?page_id=27（2022年9月30日閲覧）。

特別寄稿

『和独大辞典』（全３巻），完成！

上田浩二

„Grosses Japanisch-Deutsches Wörterbuch“

Koji Ueda

1998年，東京にあるドイツの研究機関「ドイツ日本研究所（DIJ）」の所長だった日地谷＝キルシュネライト教授のイニシアティブで始まった『和独大辞典』（GROSSES JAPANISCH-DEUTSCHES WÖRTERBUCH）の編纂プロジェクトは，ほぼ4分の１世紀の年月をかけ，ようやく2022年３月にミュンヘンのiudicium社から最後の第３巻が出版された。完成してみると，全３巻，総計7523頁，見出し語13万5000語あまりという当初のイメージをかなり上回る大型辞典となった。「日本語から外国語」の辞典としては前例のない最大規模の大辞典であろう。

振り返って見れば，これほど大規模な和独大辞典を完成できたのは，なによりもドイツの日本研究者と日本のドイツ研究者から，このような長期にわたって様々な形で協力を頂いたおかげである。また，日本関係の書籍を出版しているミュンヘンのiudicium出版社から，いつ完成するか見通しも立てにくいこの辞書の完成のために，全面的な協力をいただいたことも，ここに特記しておきたい。

編者の半分は主としてドイツ，もう半分は主として日本を編纂の仕事のベースとしてきたが，同じように数多い執筆者にも両国に分かれてこの辞典のための仕事に携わっていただいた。そのためもあり下書きも校正刷りも，デジタルな形も含めて数知れないほど日独間を往復している。思えば，このような形での共同作業が滞りなく進められたのは，なんと言っても今の時代であればこそという感が強い。この和独大辞典編纂プロジェクトが発足した前年には，学生時代からの恩師である岩崎英二郎先生の『独和大辞典第２版』（初版1985年）が出版されている。この『和独大辞典』の編集の過程においても岩崎先生から様々なご示唆やご助言をいただいた。この場を借りて心からの感謝を捧げたい。

このような発足当時からの背景もあって，iudicium社の和独大辞典は基本的にドイツ語母語話者を対象とした辞書の性格が強く，したがって見出し語はまずアルファベットで記され，その後に漢字を含む日本語表記が続く。この辞書の編纂の過程で気がついたのだが，同音異義語の多い日本語では，音として聞き取った単語の意味を調べる場合には，そのコンテクストを理解してさえいれば見出し語のアルファベット表記は意外に引きやすかったりもする。日本語母語話者であっても，調べたい単語が難解な漢字で書かれている場合には，国語辞典のような「日日辞書」で意味・用法を調べるに当たっては，かなり苦労する。その冒頭の漢字の「読み」が分からなければ検索すること自体が難しいからだ。

また，この辞典では現代の一般的な話し言葉や書き言葉だけではなく，明治の初期から用いられてきた各分野の日本語も見出し語として幅広く取り上げてある。例えば今でも使われる「デカ」もその一例で，元はと言えば明治期に刑事巡査を意味した「角袖」の最初と最後の音だけ順序を入れ替えて作った隠語とされている。こうした単語の場合，場合によっては百科事典的な説明を添えてある。この「デカ」の場合なら *„der (in der Meijizeit) nicht Uniform, sondern japanische Kleidung tragende Polizist bzw. Kriminalbeamte“* との説明も加えてある。

また，近年の流行語や日本語化した数多くの外来語等もできる限り見出し語として取り上げるよう努めた。とは言え，昨今は「ギグワーク」や「ウェビナー」等のカタカナ語は加速度的に増える一方であり，印刷物である今の形態の辞書にそれらを次々に追加していくことは今後とも不可能であろう。いつの日にか，こうしたケースを素早く取り入れられる進化した電子ブック的な辞書形態が現れるのであろうか。

ところで，なぜ今になってこのような大型の和独大辞典が作られることになったのか，その背景を筆者なりに振り返っておこうと思う。それはドイツにおける日本や日本語に対する見方や接し方の変化と関わりあっている。

日本のGNPがドイツを抜いて世界第2位になったのは1968年のことで，これはドイツに大きな衝撃を与えたようだ。その影響もあってか80年前後から日本語学習者の数が増えはじめ，ボッフム市にはドイツ全国から参加する受講者のために宿泊施設を併設した州立日本語教育機関Japonikumが作られ，筆者も国際交流基金の委嘱で82年から2年間ここで教える機会を得た。当時の受講者のなかには，仕事の関係でドイツ企業から近く日本に派遣される方々，あるいはなんとなく日本が好きだという若いドイツ人が多く，筆者が関わったごく短期間のうちにもその数が目に見えて増えていったように記憶している。むろん，この当時にはドイツの大学に既にかなりの数の日本学科が設けられており，そこでは当然ながら日本語教育も行われていた。しかし，大学で日本語を学ぶには学生である必要があり，その数はかなり少なかった記憶がある。それもあって，正規の学生以外の誰もが受講できるインテンシブな公的な日本語教育の場は，Japonikumを除けばほぼ皆無で，2週間の日本語入門集中コースにはドイツ全国から熱心な受講者が集まってきた。ただ，その当時はまだ適切な教材や和独辞典が流布していなかったようで，そこで教える教師側は自前の教科書を用意するのと並行して，その中で用いられている日本語の単語にドイツ語訳をつける作業も行うという状況だった。こうした状況だったので，少なからぬ受講者は和英辞書を持ち込んで使っていたという記憶がある。この和独大辞典を出版するiudicium verlagが設立されたのは，まさにこの時代の1983年だった。

その当時は多くのドイツ人が日本と聞いて脳裏に浮かべるイメージは，ひとことで言えばなによりも日本の伝統文化というような時代だったようだ。ある時，この講座の最初のレッスンに大真面目に鉢巻を巻いて出席した若者がいて，驚きもし呆気にとられたりもした。しかし90年前後からはマンガ・アニメ等の日本のポップカルチャーがドイツの若者の間で流行するようになり，「伝統の国」日本というイメージも少しずつ変わりはじめた。と言うよりも，この両者が矛盾なく併存する不思議な国のように理解されていたとも言えよう。その頃からであろうか，鮨などもドイツ各地に広がっていった。こうした流れを受けてドイツでは市民講座など様々なレベルの日本語講座が新設・増設された。大学にあっては日本学科の数もそこで学ぶ学生の数も増えていき，それに伴い日本研究もますます多様化・分化の方向をたどった。こうした状況に呼応して，一方では特にポップカルチャーに関心のある若者たちにはその分野での日本語の単語や一定の言い回しが仲間内の言葉として用いられ，また企業等から日本に派遣されるドイツ人も増加し，他方では日本研究分野での日本語の高度な専門用語の知識が必要とされるようになり，それに対応する和独辞典が求められるようになる。前述のDIJが和独大辞典プロジェクトを立ち上げたのは，こうした流れを反映したものだったと言えよう。

このような背景もあってiudicium社の和独大辞典は，基本的には何よりもドイツ語母語話者を対象とした辞書の性格が強く，したがって見出し語はまずアルファベットで記され，その後に漢字を含む日本語の表記が続く。同音異義語の多い日本語では，先に述べたように，見出し語のアルファベット表記は意外に検索しやすかったりもする。もっとも，「文字」として漢字表記された単語を調べる場合には，その「読み」が分からなければ検索が難しいということに変わりはない。これには今のところ有効な方法は考えにくい。

やや話がそれたが，この大辞典のいくつかの基本となる特徴を挙げておこう。関心のある方は，第1巻の13頁以降に詳述してあるので，詳しくはそちらをご覧いただければ幸いであるが，ここで全体像を短くまとめておこう。

- 各分野の専門用語には，使用される分野
- 略語・略称は原形も示し，歴史的背景や専門的内容に関する注釈
- 語の由来および確実とされている語源
- 子ども言葉，若者語，方言，隠語などの「特殊語」は，それと明示
- ことわざ・慣用句に関してはそれと明示するとともに，その意味やドイツ語での該当表現を記す

さらに，以下では中でも実際にこの辞書を利用するにあたっての特色を二点に絞って短く説明しておこう。

- **見出し語**
  どのような辞書であろうと，任意のページを開いてすぐ目に飛び込んでくるのは見出し語の表記であろう。この『和独大辞典』は，ドイツ語母語話者を念頭に作られた辞典なので見出し語は当然ながらアルファベット表記であるが，その表記法はいわゆる「ヘボン式」を意識しつつも，それに全面的に依拠しているわけではない。例えば，「新聞」は *shim̲bun* ではなく *shin̲bun*，「原因」は *genin* でなく *gen·in* と表記してある。そして，その後に漢字や平仮名・カタカナの見出しが続く。
- **単語の用例**
  日本語の個々の単語の用例に関しては，すでに出版されている日本語原文のドイツ語訳の正確さを吟味したうえで収録してある。時にはその単語の用いられ方が鮮明に分かるようにやや長めであったり，二つの例文が並べてある場合もある。たとえば「早い」の一つの用例として，「住人がいなくなった箱は廃屋と同じで，老朽化も早いらしく」という阿部公房の『箱男』の原文に対し，“Eine

Schachtel ohne Besitzer ist wie ein ungewohntes Haus, sie verfällt rasch.“ というドイツ語訳を挙げ，訳書のタイトルや原文・訳文ページ数も記してある。この例文の場合と相通ずるが，例文によって微妙に異なる使われ方がされている場合には，両者を採録してある。例えば，上の例のすぐ後に阿部公房の『燃え尽きた地図』の中の「うん，君は頭がいい方らしいな。きっとそうだよ。いろいろと，事情を飲み込むのも，早いと思うね .」を取り上げ，その訳として，“Du bist nicht dumm. Ganz ohne Zweifel. Deine Auffassung ist bemerkenswert.“ が挙げられている。むろん，それぞれどこから引用したものかも明示されている。

辞書の細部については，いろいろと書きたいことは数多くあるが，関心をお持ちの方は是非とも一度お手に取って読んでいただければと思います。

執筆者紹介（掲載順）

◉辻　朋季（つじ ともき）
明治大学農学部准教授（日独文化交流史）
「上田萬年との翻訳論争がもたらした日本研究者カール・フローレンツの変化」『ドイツ研究』第56号（2022年），51-60頁；「新資料から読み直す宮古島でのドイツ商船漂着（一八七三年）の経緯―イギリス船カーリュー号の関与と乗組員の数を中心として―」『沖縄文化研究』第47号（2020年），97-149頁。

◉小林 亜未（こばやし あみ）
デュッセルドルフ大学／カイザースラウテルン・ランダウ大学（教育学）
“From state uniform to fashion: Japanese adoption of western clothing since the late nineteenth century”, *International Journal of Fashion Studies* 6（2）（2019）, pp. 201-216; „Die Konstruktion einer neuen Geschlechterrolle und die Eliminierung alter Geschlechterdifferenz. Turnunterricht und Schuluniform in Japan（1870-1945）“, Groppe, C., Kluchert G. & Matthes, E.（Hg.）, *Bildung und Differenz. Historische Analysen zu einem aktuellen Problem*, Springer Fachmedien: Wiesbaden, 2016, S. 139-160.

◉高田 里恵子（たかだ りえこ）
桃山学院大学経営学部教授（ドイツ文学）
『文学部をめぐる病い――教養主義・ナチス・旧制高校』（松籟社，2001年）；「安倍能成をダシにして日本における保守とかリベラルとかを考えてみる」『Webシノドス』（2019年12月20日号），https://synodos.jp/society/23014

◉相澤 啓一（あいざわ けいいち）
国際交流基金ケルン日本文化会館館長（ドイツ文学）
「Unrecht と Betroffenheit―戦後ドイツの文学と社会を貫く二つのモチーフ」，『（筑波大学）文藝言語研究　文藝篇』第51号（2007年），1-45頁；„Zur Konstruktion der Nicht-Intimität in Goethes „Werther“. Zwei Überlegungen aus japanischer Sicht“, in: Inoue Shuichi/Ueda Koji（Hg）, *Über die Grenzen hinaus*, iudicium, 2004, S.75-93.

◉高岡 慎太郎（たかおか しんたろう）
筑波大学大学院人文社会科学研究科（ドイツ史）
「ヴァイマル期およびナチ期における有機的国家論の一考察――ハッセルとゲルデラーにおけるシュタイン論を手がかりに」『社会文化史学』60号（2017年），65-79頁；「ドイツ国家国民党青年組織における君主主義」『史境』79・80号（2020年），148-169頁。

◉針貝 真理子（はりがい まりこ）
東京大学大学院総合文化研究科准教授（演劇学・ドイツ文学）
Ortlose Stimmen. Theaterinszenierungen von Masataka Matsuda, Robert Wilson, Jossi Wieler und Jan Lauwers, Bielefeld: transcript, 2018;「都市の声，餌食の場所―ルネ・ポレシュ『餌食としての都市』における〈非場所〉の演劇」『ドイツ文学』156号（2018年），192-207頁。

◉藤原 辰史（ふじはら たつし）
京都大学人文科学研究所（食と農の現代史）
『決定版　ナチスのキッチン――「食べること」の環境史』（共和国，2016年）；『農の原理の史的研究――「農学栄えて農業亡ぶ」再考』（創元社　2021年）

◉藤田 恭子（ふじた きょうこ）
東北大学大学院国際文化研究科教授（ドイツ語文学（特にルーマニアのドイツ語文学））
『「周縁」のドイツ語文学―ルーマニア領ブコヴィナのユダヤ系詩人たち』（東北大学出版会，2014年）；「『周縁』と『カノン』―ルーマニア領ブコヴィナのユダヤ系ドイツ語詩人たちとゲーテ」，井上暁子編『東欧文学の多言語的トポス』（水声社，2020年），111-172頁。

◉竹本 真希子（たけもと まきこ）
広島市立大学広島平和研究所准教授（ドイツ近現代史，平和運動・平和思想史）
『ドイツの平和主義と平和運動』（法律文化社，2017年）；「ヒロシマの語られ方――ドイツの事例から」広島市立大学広島平和研究所編『広島発の平和学』（法律文化社，2021年），137-153頁。

◉**上田 浩二**（うえだ こうじ）

元早稲田大学・筑波大学・獨協大学教授（ドイツ語，日独文化交流）

『和独大辞典』全三巻（共著，iudicium，最終発行年 2022 年，全 7523 頁）；„Japanbild im Spiegel des „Spiegel"", in: Gebhard, Walter（Hg.), *Ostasienrezeption in der Nachkriegszeit: Kultur-Revolution – Vergangenheitsbewältigung*, iudicium, 2007.

日本ドイツ学会　第38回大会報告

日本ドイツ学会大会は2022年6月25日（土），オンラインにて開催された。プログラムは以下の通りである。

フォーラム　13時-15時
1 「19世紀における「感情史」―日独比較を通じて」
司会　小野寺拓也
コメント　森田直子
1）王権と民衆　～三月前期プロイセンの国王誕生日祭と暴動をめぐって～【山根徹也】
2）和歌と真情―ポスト宣長期の国学者を事例に―【三ツ松誠】
3）「道」に努める心―19世紀中葉における朱子学の実践―【池田勇太】

2　研究報告フォーラム
司会　近藤孝弘
1）代議制民主主義の感性的「技術」――クリストフ・マルターラー
『ゼロ時あるいは奉仕の技術』における笑いと歌の共同体【針貝真理子】
・コメント【北川千香子】
2）ドイツ福音主義教会の改心と刷新
―ラインラント州教会会議決議に見る反ユダヤ主義の克服―【新山正隆】
・コメント【福永美和子】

シンポジウム　15時30分-19時
日本におけるドイツ研究の「意義」?
司会　森田直子，青木聡子
コメント　相澤啓一

企画　辻　朋季
1）ドイツにおける日本学の現在状態についての感想【ティル・クナウト】
2）ドイツにおける日本研究の「意義」?
――デュッセルドルフ大学現代日本研究所を例として【小林亜未】
3）安倍能成，ダメ学者と呼ばれて（も）【高田里惠子】

2021 年度ドイツ学会奨励賞 受賞作発表ならびに選考理由

西山暁義
（学会奨励賞選考委員会　委員長）

学会奨励賞選考委員会の西山です。本年度の選考委員会は昨年度同様，石田圭子幹事，板橋拓己理事，坂野慎二幹事，渋谷哲也幹事，三成美保幹事，弓削尚子理事，事務局を務める村上宏明幹事と私西山の 8 名によって構成されており，不肖私が委員長を務めさせていただいております。

さて，今回，2021 年度の日本ドイツ学会奨励賞は，坂井晃介さんの

『福祉国家の歴史社会学～ 19 世紀ドイツにおける
社会・連帯・補完性』 勁草書房

に授与されることとなりました。

以下，審査の経緯について，簡単にご報告申し上げます。

今回の学会奨励賞は，昨年度総会においてご報告いたしました通り，掲示の不備のため，2021 年のみならず，20 年も含めた 2 年間に刊行された作品を対象とすることになりました。今回は当初 5 作品が推薦され，二段階の審査を行いました。第一段階として，各作品を分野の近い委員 2 名が査読する予備選考を行い，そのなかで 2 作品が本選考に残りました。それをふまえ，第二段階として，選考委員全員が 2 作品を査読し，従来と同様，それぞれの作品に所見とともに 10 点満点で評点を付け，事務局の村上さんの方でそれを集計し，平均点を算出していただきました。それをもとに 5 月 13 日，オンラインによる選考会議を実施し，5 名の委員の参加のもと，坂井さんの作品を奨励賞作品として暫定的に選出し，欠席の委員への周知と再考期間を設けたのち，異議はなかったため確定とし，事務局の村上さんより坂井さんに受賞の連絡をいたしました。以上の経緯は，6 月 19 日の理事幹事会においても，村上さんから説明が行われ，承認を得ております。

次に授賞理由についてご報告いたします。

坂井さんの作品は，ルーマンの機能分化論や自己言及システム論を批判的に援用しつつ，19 世紀ドイツの政治や学術，労働運動や宗教における議論の中で，福祉国家における「社会的なるもの」の理念がいかに形成されたのかを，社会保険制度に焦点を当て，歴史社会学的に明らかにしようとするものです。

選考会議においては，研究史の記述が充実しており，研究動向をオリジナルな図にまとめて自身の研究視角を明確にしている点や，汗牛充棟の研究分野であるテーマでありつつも，個別要素に特化する，いわば「タコつぼ化」の動向に対し，理論と史料分析の両面から統合的な把握を試みている点が高く評価されました。その際，「補完性」や「連帯」といった，今日の福祉国家の問題を理解するうえで重要な概念を軸に議論している点も，射程の広がりを感じさせるものとみなされました。

他方，総じて言説分析が中心となっているなかで，高度に抽象的な議論が展開される部分が難解であるという声も聞かれました。また研究史のなかで一部見落としがあるのではないかとの指摘，さらに 19 世紀ドイツがもっぱらプロイセンを中心に議論されるなか，連邦制や都市自治など，ドイツ特有の政治の多層性の位置づけについての疑問，福祉国家におけるジェンダー的側面の欠落についての批判的な所見もありました。

しかし，学会奨励賞の意義に照らしてみれば，ここに示された福祉国家の歴史の立体的な見取り図は，著者坂井さん自身が展望するように，20 世紀以降の展開や，今回のドイツの事例を出発点とした比較福祉国家論への貢献も期待させる内容であります。それは，付言すれば，私たちが現在経験しているコロナ禍をめぐる政治，学術などの多様なアクターの関係と，そこにおける「社会的なもの」の認識にもつながっているようにも思われます。

以上のことから，選考委員会は 2021 年度ドイツ学会奨励賞として，坂井さんの作品を選出いたしました。

最後に，受賞された坂井さんに心からのお祝いと今後のご研究の益々の発展をお祈り申し上げ，報告を終えたいと思います。坂井さん，まことにおめでとうございます。

◉2021年度日本ドイツ学会奨励賞受賞挨拶◉

坂井晃介

この度は拙著『福祉国家の歴史社会学』を2021年度日本ドイツ学会奨励賞という栄誉ある賞に選出していただき，誠に感謝申し上げます。奨励賞にご推薦くださった方や選考委員の先生方に，深くお礼申し上げます。僭越ながら，本書の初発の関心などについて少しお話しし，受賞あいさつとさせていただきます。

本書は，「社会的なもの」（das Soziale）と呼ばれる，近代社会における人びとの協働にかかわる規範的理念についての歴史社会学的研究です。

日本でも特に2000年代に入ってから，人びとの紐帯が希薄化し福祉や共助の仕組みへの限界や疑義が生じてきているという現状認識のもとで，主に思想的な視座から「社会的なもの」の理念が再注目されてきました。私は大学入学以後，こうした現代的な問題意識と理念の重要性に深く共感しつつ，「連帯」や「公正」といった「社会的なもの」の理念が学術的・哲学的には擁護・正当化されていく一方で，実際の社会生活の中ではむしろ煙たがれたり，政治過程ではほとんど無視されているような状況に疑問を感じておりました。

本書の基となった博士論文は，学部時代のこうしたやや素朴な問題意識が出発点となっています。そこからまず，ある規範的理念が社会に流通するようになるプロセスを考えるために，社会学，とりわけドイツの社会学者であるニクラス・ルーマンの社会学理論の研究を行ってきました。そこで得られた洞察は，特定の理念や考え方は制度のありようと無関係ではなく，境界を有した制度が複数作られることで，理念は制度間で異なる形で使われたり，部分的にのみ関連づけられたりされうるということでした。これは，西欧近代社会の成り立ちの一側面であるともいえるのではないかと思います。

そうした理論的関心のもとでのケーススタディとして，本書では1880年代におけるドイツ労働者保険の形成過程における理念の歴史的な分析を行いました。中でも，「社会」（Gesellschaft），「連帯」（Solidarität），「補完性」（Subsidiarität）という三つの語彙に着目しました。これまでの研究では，こうした理念は学術や労働運動，カトリシズムの語彙としてみなされ，そうした担い手の属性に注目した重厚な研究が蓄積されてきました。それに対して本書では，あえて同時代の政策過程に着目し，政治家や官僚たちが実際には，こうした語彙を新しく定義し直し，統治実践における「社会的なもの」として労働者保険の正当化に活用していったプロセスを明らかにしました。

本書のタイトルにもなっている「歴史社会学」の課題の一つは，こうした歴史研究を通じて現代的な問題の萌芽や由来を探ることにあります。本書で取り組んだ現代的な問題としては，政治と学術の分離と再関連化があるでしょう。一方で学術的知見は国家にとって一つの参照可能な資源でありつつ，他方で両者は自律的な制度としてみなされることが，いわゆる「価値自由」的な前提となっています。そうした前提が歴史的にどのように作られてきたのかを明らかにすることを通じて，現代のEBPM（Evidence Based Policy Making）のような，学知・学識が政治実践に与えるインパクト，あるいは国家による学術への恣意的な介入や「活用」について，適切な批判や評価が可能になるのではないかと考えています。

このように本書は，19世紀後半のドイツを対象にした歴史的な研究でありつつやや雑多な関心で書かれた領域横断的なものです。そのため社会学理論の系列でも，歴史研究の系列でも，はたまた福祉国家・社会政策の系列でも，うまく位置付けることができない――どの分野の研究者にも理解されづらい――ものになっているのではないかと自己認識しておりました。そんな中でドイツ語圏に関する学際的な学術研究を行うことを目的とされている日本ドイツ学会でこのような賞をいただいたことに驚きつつ，本当に嬉しく思っています。

本書は，選考委員会からの指摘にもあった通り，ドイツ歴史研究としては不十分かつ問題含みな点も多いかと思います。今後はそうした点を重く受け止め，比較に開かれた歴史社会学的研究という射程を維持しつつドイツ研究・歴史研究としてもより質の高い研究を進めていく所存です。どうかご指導ご鞭撻のほど，お願い申し上げます。この度は本当にありがとうございました。

日本ドイツ学会案内

1. **ホームページ**
   日本ドイツ学会のホームページは，http://www.jgd.sakura.ne.jp/ にあります。
   ご意見・ご要望がありましたら，事務局までお寄せください。
2. **入会について**
   入会希望者の方は，会員2名の推薦を得て，学会ホームページ上にある入会申込書に記入の上，下記事務局までお送りください。年会費は5,500円です。
3. **学会誌『ドイツ研究』への投稿募集**
   『ドイツ研究』では，ドイツ語圏についての人文・社会科学系の論文，トピックス（研究動向紹介など学術的内容のテーマ），リポート（文化・社会情勢，時事問題などに関するアクチュアルな情報）の投稿を，会員より募集しています。分量は，ワープロ原稿（A4・40字40行）で論文10枚程度，トピックス5枚程度，リポート4枚程度となります。応募受付は毎年4月末まで，原稿の締切は8月20日です。なお，執筆の際は，『ドイツ研究』執筆要領に沿ってお書き下さい。投稿された論文については，投稿論文審査要綱にもとづく審査をへて，掲載の可否についてご連絡をいたします。詳しくは学会ホームページをご覧ください。
4. **新刊紹介の情報募集**
   学会ホームページには，会員による新刊書籍・論文等の業績紹介ページを設けています。掲載希望の会員は，発行1年以内のものについて，書名（論文名），著者名（翻訳者名），発行年月日，発行所（掲載誌名），ISBN（ISSN），価格，書籍紹介ページのリンク等を，事務局までご連絡ください。
5. **連絡先**
   〒153-8902　東京都目黒区駒場3-8-1
   東京大学大学院総合文化研究科・教養学部　18号館
   川喜田敦子研究室内　日本ドイツ学会事務局
   germanstudies@jgd.sakura.ne.jp

日本ドイツ学会役員（2021年6月～2023年6月期）

【理事長】近藤孝弘

【副理事長】川喜田敦子

【理事】
青木聡子・秋野有紀・板橋拓己・小野寺拓也・玉川裕子・辻　英史・西山暁義・速水淑子・藤原辰史・弓削尚子

【監事】
足立信彦・香川　檀

【幹事】
穐山洋子・石井香江・石田圭子・伊豆田俊輔・伊藤　白・木戸　裕・坂野慎二・佐藤公紀・渋谷哲也・辻　朋季・浜崎桂子
針貝真理子・三成美保・水戸部由枝・宮崎麻子・村上宏昭・森田直子

【学会誌編集委員会（57号）】
佐藤公紀（委員長）
秋野有紀・穐山洋子・石井香江・伊豆田俊輔・伊藤　白・大下　理世・木戸　裕・辻　英史・浜崎桂子・針貝真理子・藤原辰史
水戸部由枝・三好範英

【学会奨励賞選考委員会】
西山暁義（委員長）
石田圭子・弓削尚子・板橋拓己・坂野慎二・渋谷哲也・三成美保・村上宏昭

【企画委員会】
青木聡子（委員長）
小野寺拓也・辻　朋季・速水淑子・森田直子

編集後記

『ドイツ研究』第57号をお届けいたします。本号の特集として，2022年度大会シンポジウム「日本におけるドイツ研究の「意義」？」より，3本の論文と1本のコメントを掲載いたしました。そのほか，公募論文1本，論文1本，書評3本，特別寄稿1本を掲載することができ，例年に劣らずバラエティの富む充実した誌面となりました。

今年度の大会シンポジウムのテーマが企画されるに至った問題意識の中には，巻頭の「企画趣旨」に詳しく述べられているとおり，今般のドイツ研究を含む人文系諸学問を取り巻く情勢の厳しさがあることはもちろんのこと，さらに日本の学問全体の独立性が脅かされつつあることへの危機感の高まりがあります。とりわけ日本学術会議会員任命拒否に端を発する一連の騒動は，政権が代わった後も，解決するどころかむしろより差し迫った問題として，学問を志す者の前に迫ってきています。こうした厳しい情勢の中だからこそ，各分野の研究者がそれぞれのディシプリンの持つ「意義」を問い直し，再構築しようとする営みが，より一層重要な課題として浮上してきているように思われます。本号特集の試みがさらなる議論を喚起する契機となるならば，これにまさる喜びはありません。

最後になりましたが，素晴らしい論考をご寄稿いただいた執筆者の皆様，ご多忙にもかかわらず快く査読をお引き受けいただいた先生方，初めての編集作業で右往左往する私にいつも親身になってアドバイスをしてくださり，困ったときには進むべき方向を示していただいた前編集委員長の秋野有紀先生ならびに第54号編集委員長の辻英史先生，迅速な編集・校閲作業で大いに助けてくださった編集委員の皆様，そしていつものことながら的確な対応と指示で最後まで導いてくださった印刷会社の双文社および販売委託先の極東書店の各ご担当者様に，厚く御礼申し上げます。

（佐藤 公紀）

ドイツ研究　第57号
Deutschstudien Nr. 57

2023年3月30日　第1版第1刷発行

編　者▶日本ドイツ学会編集委員会
　　編集委員長　佐藤公紀
発　行▶日本ドイツ学会
　　理事長　近藤孝弘
発　売▶株式会社　極東書店
　　〒101-8672　東京都千代田区神田三崎町2-7-10
　　帝都三崎町ビル
印刷･製本▶株式会社　双文社印刷

© 日本ドイツ学会，2023
ISBN 978-4-8739-4077-9